François D'HERVILLE

LE
GABON

Photos de Jean TROLEZ

SOLAR

SOMMAIRE

© SOLAR, 1976.

Introduction

LE GABON, PAYS DE L'AMITIÉ

Vaste parc naturel, le Gabon n'est pour beaucoup qu'un territoire regorgeant de richesses forestières ou minières. Mais le Gabon est d'abord un pays dont la beauté, le folklore, l'accueil amical et souriant constituent autant de valeurs sûres pour le développement harmonieux de son tourisme.

Il aura pourtant fallu attendre ces dernières années pour que le Gabon sorte quelque peu de son anonymat et surtout se débarrasse d'une réputation aussi peu flatteuse qu'injustifiée de pays insalubre, due en grande partie à un climat équatorial que les colons jugeaient difficile et qui fait maintenant le bonheur des (trop rares) touristes.

Jeune nation, le Gabon reste encore à découvrir. Si les industriels étrangers ont su très vite se rendre compte du profit qu'ils pourraient tirer du sol et du sous-sol gabonais, le tourisme de groupe demeure en effet quasi inexistant, principalement en raison du coût très élevé des frais de transport aérien pour se rendre dans ce pays d'Afrique centrale situé à sept heures d'avion de Paris.

Les autorités gabonaises, conscientes pour leur part de la nécessité de développer le secteur touristique, sont en tout cas prodigues d'efforts en matière, notamment, d'infrastructures hôtelières et d'accueil.

Car le Gabon, auquel ses richesses naturelles (pétrole, uranium, manganèse, bois) confèrent une place de choix dans le concert des économies africaines, est avant tout un véritable paradis touristique. Avec ses 800 kilomètres de côtes de sable fin, son immense forêt équatoriale où vivent et se multiplient les derniers gorilles de cette terre, avec ses savanes et ses réserves de chasse où cohabitent éléphants, buffles, antilopes, panthères, etc., et son climat relativement tempéré pour l'Afrique, le territoire de la République gabonaise mérite d'être connu autrement que par l'œuvre et l'hôpital du docteur Schweitzer de Lambaréné, ou que par l'extraordinaire phénomène de la pile atomique naturelle d'Oklo.

Terre d'accueil caractérisée par son sous-peuplement, le Gabon a toujours reçu « l'étranger » avec d'insignes marques d'amitié. Avec cet ouvrage, nous nous proposons de donner au lecteur un aperçu rapide, mais aussi complet que possible, de ce pays, à cheval sur l'Equateur, afin de l'inciter à partir à sa découverte.

Il comprendra alors, pourvu qu'il veuille bien être perméable au tempérament africain en général et à la mentalité gabonaise en particulier, combien est réelle et sincère cette « légendaire hospitalité » du peuple gabonais.

◀ *La plage de "la Blondine", au cap Estérias.*

I - LE GABON EN BREF

1. QUELQUES GÉNÉRALITÉS

Deux cent soixante-sept mille six cent soixante-sept kilomètres carrés, presque la moitié de la France, environ 1 million d'habitants, d'après le dernier recensement officiel de 1970. Situé à cheval sur l'Equateur entre 2°30' de latitude nord et 4° de latitude sud, le Gabon est limité au nord-ouest par la Guinée équatoriale, au nord par la République unie du Cameroun, à l'est et au sud par la République populaire du Congo et à l'ouest par un littoral atlantique de 800 kilomètres de long.

La très faible densité de la population gabonaise (moins de quatre habitants au kilomètre carré, chiffre officiel) s'explique par des facteurs naturels aussi bien qu'historiques.

Des infrastructures sanitaires pratiquement inexistantes jusqu'à nos jours, liées à un milieu naturel géographique et climatique assez éprouvant, ont fait que le taux de mortalité infantile a été au Gabon l'un des plus élevés d'Afrique de l'Ouest.

En réalité, la grande forêt gabonaise (qui couvre plus de la moitié du pays), loin de constituer ce milieu « répulsif » comme certains n'ont pas hésité à l'affirmer à tort, a le plus souvent servi de refuge aux populations qui s'y sont installées, vivant des ressources de l'agriculture (le sol étant d'une grande richesse à cet égard) ou de la pêche dans les nombreux fleuves, rivières ou cours d'eau qui irriguent le pays de toutes parts.

Ce sous-peuplement, du reste caractéristique de l'ensemble de l'Afrique centrale, est davantage dû aux épidémies et aux famines qui, par le passé, ont ravagé des populations entières. La variole, aujourd'hui disparue, la maladie du sommeil ont décimé les hommes, de même que le paludisme propagé par le terrible moustique anophèle des fleuves et des marigots.

Par la suite, l'esclavage, les tâches excessives assignées à la population et la déportation en grand nombre vers l'île de Gorée, près de Dakar, puis de là vers l'Amérique ont aussi réduit considérablement la densité humaine dans ces régions où la moitié des populations provient des grands courants migratoires, que l'Afrique occidentale a connus jusqu'au XIX° siècle.

a) Géographie

Des frontières terrestres conventionnelles héritées du découpage administratif arbitraire du colonisateur font du Gabon un « petit » pays relativement aux grands blocs qui l'enserrent au nord, à l'est et au sud (Cameroun : 475.000 km², Congo : 342.000 km²). En revanche, on verra combien la nature l'a gâté, le dotant de très importantes richesses minières notamment.

Une quarantaine d'ethnies différentes ont réussi à former, grâce à l'utilisation du français, langue officielle, une véritable nation qui constitue d'ailleurs un ensemble naturel assez homogène au point de vue climat, hydrographie et végétation.

Caractérisé avant tout par son relief, assez varié et accidenté, sa forêt dense, difficilement pénétrable, le régime trop irrégulier de ses voies de navigation, la dispersion de ses populations et la fréquence et l'importance des précipitations atmosphériques, le Gabon demeure encore un pays malaisé à parcourir autrement que par avion. La circulation y est hasardeuse et les communications parfois impossibles ou même tout à fait inexistantes.

Le célèbre pont de lianes de Ponbara, près de Franceville.

b) Géologie

L'un des aspects les plus étonnants de la géologie du Gabon réside en la découverte, en 1972, d'une pile atomique fermée **naturellement** dans le gisement d'uranium d'Oklo à Mounana, dans le sud-est du pays ; équivalent d'un réacteur nucléaire que l'homme croyait avoir inventé en 1942 alors qu'il ne faisait, somme toute, que reproduire une expérience qui s'était déroulée d'elle-même (pendant un million d'années !) au creux d'un bassin sédimentaire gabonais près d'un milliard sept cent millions d'années auparavant...

c) Relief

Le Gabon est un pays de moyenne altitude, au relief tourmenté, formé dans sa plus grande partie de plateaux plus ou moins élevés (300 à 800 m), entaillés par de grands cours d'eau qui ont tracé des vallées généralement encaissées.

Le point culminant du pays est le mont Iboundji (1.575 m) à l'ouest de Koula-Moutou. Les principaux massifs, formant de véritables chaînes, sont les monts du Chaillu au sud et les monts de Cristal au nord dont les sommets atteignent près de 1.000 m.

La zone côtière, de 800 km de long et de 30 à 200 km de large, basse et plate, accidentée de quelques caps et comprenant notamment le vaste delta de l'Ogooué (le plus grand fleuve du pays) ne s'élève jamais vers l'intérieur à plus de 300 m d'altitude.

d) Hydrographie

Coupés de nombreuses chutes et de rapides, les fleuves gabonais sont peu navigables. Ainsi, l'Ogooué, au débit important (10.000 m^3 à la seconde), qui sépare le pays en deux parties sensiblement égales, n'est navigable que sur le tiers de ses 1.200 km. Avec ses affluents (la M'Passa, l'Ivindo, la Lolo, la N'Gounié, etc.), l'Ogooué possède un bassin qui s'étend sur près de 220.000 km^2.

Les autres principaux fleuves, qui se jettent dans l'océan, sont : le Rio Muni, le Como, dont l'estuaire a donné son nom au pays, la Nyanga, le Rembo, le Woleu et le N'Tem.

e) Climat

Le Gabon possède un climat de type équatorial, c'est-à-dire chaud et humide, caractérisé par la faiblesse des variations de température dont la moyenne annuelle se situe aux environs de 26° et par le degré élevé de l'état hygrométrique de l'air. Une touffeur d'orage règne en effet presque constamment dans ce pays où, à longueur d'année, la durée de la journée n'excède pas celle de la nuit (12 heures).

Le manque de saisons très marquées permet ainsi au Gabon de jouir d'un perpétuel été.

Il existe toutefois quatre saisons que distingue entre elles la différence de pluviosité. Il s'agit de :
— une longue saison des pluies, de la mi-janvier à la fin mai ;
— une grande saison sèche, de juin à septembre ;
— une petite saison des pluies, d'octobre à la mi-décembre ;

— une courte saison sèche de la mi-décembre à la mi-janvier.

Fait remarquable, les grandes pluies ne commencent, la plupart du temps, qu'en fin de journée. Il est relativement rare en effet qu'en grande saison des pluies, il pleuve abondamment au cours de la journée.

En revanche, l'amateur de spectacles naturels sera émerveillé d'assister, à la tombée de la nuit, lorsque le soleil se couche sur l'Océan, à travers des rideaux de palmiers courbés et agités par le vent, au déchaînement majestueux des « tornades » typiquement équatoriales.

f) Végétation, flore et faune

La grande forêt gabonaise et la savane se partagent l'essentiel du territoire national.

A elle seule, la forêt couvre plus de la moitié de la superficie du pays, environ 140.000 km². Forêt primaire aux multiples essences dominées par l'okoumé (espèce ordinaire d'acajou dont on tire le contre-plaqué, quasi exclusive au Gabon), sa voûte dense et d'un vert profond se situe entre 30 et 40 m de haut, certains géants s'élançant jusqu'à 70 m, hauteur impressionnante renforcée encore par le

Vue aérienne de la Nyanga, l'un des principaux affluents de l'Ogooué.

*Un jeune paraso-
lier, comme il y en
a beaucoup au Ga-
bon et principale-
ment dans la forêt
du cap Estérias.*

fait que les premières branches ne se détachent qu'aux deux tiers du tronc à partir du sol.

C'est la forêt équatoriale dans toute sa splendeur, demi-obscure, formée d'arbres en colonnes qui se couvrent jusqu'à la cime de lianes grimpantes et colorées qui peuvent atteindre 200 m de long. Gorilles, chimpanzés, perroquets (« gris du Gabon »), insectes, papillons et reptiles de toutes sortes y vivent comme au premier jour de la Création.

La savane herbeuse, où s'ébattent éléphants, buffles, antilopes, gazelles, lions et panthères, s'étend surtout à l'est et au sud-est du pays, dans les régions limitrophes du Congo.

Dans les eaux chaudes des fleuves, et dans les grands lacs, il n'est pas rare de rencontrer crocodiles et hippopotames, en parti-culier dans la région de Lambaréné.

La flore, magnifique, est très diversifiée. Hibiscus aux fleurs d un rouge violent côtoient, parmi de nombreuses autres espèces typiques à la flore équatoriale, flamboyants et frangipaniers, conférant aux villes du Gabon un charme sauvage. Celui d'un jardin où fleurs multicolores et parfums exotiques agressent les sens du voyageur.

2. QUELQUES NOTIONS D'HISTOIRE

a) De la préhistoire à l'ère coloniale

De l'époque préhistorique, de récentes recherches ont permis de découvrir dans plusieurs régions du Gabon, et spécialement le long de la vallée de l'Ogooué, des vestiges témoignant d'une présence humaine.

On peut voir ces vestiges, poteries, haches polies, pointes de lances et flèches en pierre taillée à Libreville au Musée national des arts et traditions où ils ont été rassemblés.

Il faut attendre la seconde partie du XV° siècle et l'arrivée des navigateurs portugais pour en savoir plus long sur l'histoire du Gabon. Après s'être établis en 1471 dans une île qu'ils baptisent Sao Tomé (à 400 km au large des côtes du Gabon), ces navigateurs aboutiront les premiers au cours de leurs explorations à la reconnaissance du littoral nord du Gabon et de l'estuaire, appelé par eux « Rio de Gabao », en raison probablement d'une certaine ressemblance de la forme de cet estuaire avec un caban (manteau de marin).

En 1473, Lopez Gonsalvo donnait son nom au cap devant lequel débouche l'Ogooué, et Fernan Vaz à la région s'étendant entre ce même cap et la lagune de Setté-Cama. Des comptoirs furent alors établis tout le long du littoral atlantique, puis, au XVIe siècle, des Jésuites s'y installèrent aussi.

Au XVIIe siècle, des Hollandais, à leur tour, tentèrent de s'établir sur l'estuaire en dépit de l'hostilité des tribus Mpongwé qui vivaient, à peu près, à l'emplacement de l'actuelle Libreville.

L'ère de la pénétration européenne est alors ouverte. Elle se développera au XVIIIe siècle quand Anglais et Français viendront régulièrement fréquenter les côtes gabonaises, pour se livrer au troc ou au trafic d'esclaves.

Et c'est justement pour lutter contre la traite des esclaves que le lieutenant de vaisseau Bouet-Willaumetz, sur son brick « La Malouine », croisera au large des côtes de « la Gabonie », avant de s'aventurer en 1837 dans l'estuaire du Gabon dont il reconnaîtra les avantages. Il y établira alors un point de relâche destiné aux navires de la Marine nationale française chargés d'anéantir la lucrative traite des Noirs.

Le 9 février 1839, il signait un premier traité avec le chef de la rive gauche du fleuve, le roi Kowé Rapontchombo, dit Denis, puis un second le 18 mars 1842 avec le roi Dowe, dit « Louis », chef de la rive droite. Ces royaumes étaient ainsi placés sous la protection de la France qui construisait, l'année suivante (sous la direction du capitaine d'infanterie Guillemain), le fort d'Aumale auprès duquel s'édifiera Libreville, future capitale du Gabon. Dès lors, plusieurs explorateurs français reconnaîtront l'intérieur du pays en même temps que s'implanteront des missions catholiques et protestantes.

S'enfonçant sans crainte dans la forêt, remontant les cours d'eau et signant des traités d'amitié avec les tribus rencontrées, ces explorateurs installèrent progressivement des postes administratifs. Le premier fut Paul du Chaillu qui reconnut une partie de l'Ogooué en 1830, puis Serval qui atteignit « Lambaréné ». Plus tard, en 1874, Marche et Compiègne parvinrent jusqu'à l'Ivindo avant l'arrivée de Savorgnan de Brazza en 1875. Celui-ci, en 1882, au terme de deux missions, remonta l'Ogooué jusqu'à sa source et reconnut l'arrière-pays par de longues marches solitaires, fondant au passage Franceville en 1880 et N'Djolé en 1883.

Rétrospectivement, son entreprise ressemble aux exploits d'un aventurier. Avec sa fortune personnelle jetée comme un défi aux hésitations gouvernementales, il sera le véritable « inventeur » du Gabon.

L'exploration terminée, les principales voies de pénétration tracées, l'organisation administrative du pays peut être envisagée.

Depuis 1860, un commissaire adjoint de la Marine remplissait les fonctions administratives et judiciaires à Libreville avec le titre de commandant particulier du Gabon. En 1881, ses pouvoirs étaient élargis et un administrateur lui était adjoint.

Les voyages de Brazza modifièrent cette organisation. En 1883, le Gabon fut englobé avec le Congo dans le « Commissariat de l'Ouest africain » à la tête duquel on plaçait Savorgnan de Bazza qui recevait le titre de commissaire du gouvernement. Et en avril 1886, il devint gouverneur des deux colonies du Gabon et du Congo, d'abord autonomes, mais dont le sort sera lié le 11 décembre 1888 quand on décrétera leur union, et davantage encore quand, en 1910, on créera l'Afrique équatoriale française.

Après la Seconde Guerre mondiale, les Gabonais, hostiles à l'A.E.F. depuis le choix de Brazzaville pour capitale, continuèrent, à contrecœur, à alimenter cette fédération à laquelle ils se sentaient complètement étrangers. Le 28 septembre 1958, le Gabon approuvait massivement la Constitution qui ouvrait le chemin de l'indépendance après la reconnaissance, à Brazzaville, en août de la même année, au droit à l'indépendance des colonies françaises d'Afrique noire.

Le 29 novembre 1958 était proclamée la République gabonaise, et le 17 août 1960 le Gabon accédait à l'indépendance.

b) De l'indépendance à nos jours

Le 12 février 1961, Léon Mba était élu Président de la République en même temps que la première Assemblée nationale gabonaise. Réélu au terme d'élections présidentielles et législatives anticipées avec 99,9 % des voix le 19 mars 1967, le Président Léon Mba s'éteindra quelques mois plus tard, le 28 novembre, à la suite d'une longue maladie.

Albert-Bernard Bongo, âgé seulement de 32 ans, Vice-Président de la République depuis le 19 mars, lui succédera constitutionnellement comme l'avait décidé Léon Mba.

Après avoir reçu l'investiture le 2 décembre, le second Président de la République gabonaise allait mettre fin au « multipartisme » en créant un parti unique, le Parti Démocratique Gabonais (P.D.G.)

Un train de bois sur l'Ogooué. ▶

dont il sera le secrétaire général et qui est affilié au Rassemblement Démocratique Africain (R.D.A.).

Le 25 février 1973, le Président Bongo est réélu à son tour à l'issue d'élections présidentielles anticipées pour un nouveau mandat de sept ans, par 99,59 % des voix.

3. UN PEU D'ÉCONOMIE

Le Gabon est sans nul doute l'un des Etats les plus riches et les plus prospères du continent africain.

Le bois a été longtemps sa seule mais très importante ressource. Le Gabon moderne apparaît d'ailleurs comme une création de l'okoumé, cet arbre majestueux, recherché par les industriels du monde entier pour son contre-plaqué d'une résistance et d'une souplesse exceptionnelles, dont la nature bienveillante lui a assuré sur cette planète la quasi-exclusivité.

Puis, très vite, le Gabon a su exploiter ses nombreuses ressources minières prodiguées avec une grande générosité par Dame Nature. Avec 12 millions de tonnes de pétrole, 2.000 tonnes d'uranium et 2 millions de tonnes de manganèse environ en 1975, le budget national 1976 a pu atteindre 200 milliards de francs C.F.A., soit cinq fois plus qu'en 1972.

C'est dire le « boom » économique sans précédent connu par cet « Eldorado de l'Afrique centrale » qui ne cesse de développer son secteur industriel (raffinage pétrolier, industries chimiques, alimentaires, textiles, industries du bois, cimenterie, métallurgie, etc.).

L'agriculture et la pêche, en revanche, n'offrent guère de satisfactions. Le cacao et le café, destinés à l'exportation, dépassent à peine le seuil de la rentabilité alors que les produits de la mer, faute jusqu'à présent de pêcheries industrielles, ne suffisent même pas à l'approvisionnement des populations.

A moyen terme, une autre ressource naturelle viendra alimenter les caisses de l'Etat. Le fer, dont le gisement de Bélinga au nord-est du pays est l'un des plus importants et des plus riches en teneur de minerai du monde (860 millions de tonnes d'hématite à 64 % de fer), pourra être mis en exploitation dès que le Transgabonais sera achevé. Cette ligne de chemin de fer, d'une longueur de 569 km, constitue un projet gigantesque qui est l'œuvre du Président Bongo.

Le Transgabonais, dont les travaux ont débuté le 30 avril 1975, permettra en effet l'exploitation et l'évacuation non seulement du minerai de fer mais aussi d'environ 3 millions d'hectares de coupes forestières supplémentaires, d'où l'installation d'industries de transformation sur place et, par conséquent, une plus grande décentralisation économique.

●

II - LE TOURISME EN BREF

1. COULEURS, MOUVEMENTS, ODEURS, SONS

Le Gabon, décidément terre bénie des dieux, n'est pas seulement le royaume du bois, du pétrole, et d'autres ressources minières, c'est aussi celui du tourisme en lequel il fonde de grands espoirs. Il est d'ailleurs considéré comme le troisième pays d'Afrique, après la Côte-d'Ivoire et le Sénégal, à suivre une ascension touristique remarquable.

Son potentiel touristique est en effet considérable. Ses plages, qui s'étendent sur 800 km, rappellent celles du Pacifique sud ; ses réserves d'animaux, ses lagunes et l'Atlantique qui le baigne offrent les meilleures parties de chasse et de pêche d'Afrique. Et, pour un proche avenir, il est question d'aménager en « Riviera » touristique certains sites de la côte gabonaise, du cap Estérias à la frontière congolaise.

Le Gabon a compris que le tourisme était son privilège. Car ce pays, que l'on ne décrit pas à la manière d'un manuel de géographie, est d'abord couleurs, mouvements, odeurs, sons.

La gamme quasi irréelle des verts de la forêt, le jaune de ses carrières et de ses mines, le bleu de l'océan lui ont suggéré les couleurs de son étendard. De la cime des arbres qui défient orgueilleusement les tornades, aux eaux tumultueuses des torrents et des fleuves, et jusqu'à l'océan qui jamais ne se lasse, c'est partout le mouvement. Et il y a aussi les sons : les cris d'animaux, les chants des oiseaux, le rugissement des chutes, le bruissement du vent dans les branches, le murmure ininterrompu des insectes, tous ces bruits indéfinissables et inquiétants de la brousse qui troublent le silence ouaté de la vie nocturne. Et cette débauche d'odeurs et de parfums que dispensent à plaisir, ici des haies d'hibiscus, là des pervenches de Madagascar roses et blanches, ailleurs des bougainvillées qui grimpent le long des cases, ou encore des filaos après la pluie...

En arrivant au Gabon pour la première fois, ce que l'on ressent en débarquant à l'aéroport international Léon-Mba, c'est déjà tout cela à travers la tiédeur de l'air du littoral atlantique et ces senteurs lourdes et oppressantes de la nature équatoriale.

Vingt-cinq à trente degrés à l'ombre, rarement plus, rarement moins, exactement ce qu'il faut pour baigner Libreville et toute la zone côtière d'une atmosphère d'éternelles vacances.

Il faut dire combien y contribuent ces plages infinies de sable blanc où sans cesse déferlent les vagues, en s'écrasant sur les billes d'okoumé venues s'échouer après un long vagabondage sur ces étendues immaculées. Les centaines de kilomètres de la façade maritime gabonaise, en effet, sont constituées de splendides plages vierges, au sable fin, bordées d'une nature luxuriante.

Les plages les plus fréquentées sont naturellement celles des grandes villes. A Port-Gentil, la route du cap Lopez longe une plage

Plaisirs du Gabon.

admirable. A Libreville, de l'autoroute qui mène à l'aéroport jusqu'au cap Estérias (30 km), la plage sauvage reste déserte six jours sur sept. La route du cap traverse d'ailleurs la merveilleuse forêt classée de la Mondah où l'okoumé géant voisine avec le bananier et le palmier à huile.

Mais le Gabon, c'est aussi l'immense forêt équatoriale qui recouvre presque la totalité du pays comme un épais manteau de fourrure. Forêt dissimulant des régions encore inexplorées, forêt entaillée de fleuves puissants, aux énergies en grande partie inexploitées et qui profitent sans doute de leurs dernières années de liberté.

Ici, ce que l'on a appelé « l'enfer vert » est plutôt un paradis. Paradis des pachydermes (il existe une espèce d'éléphant plus petit que celui des savanes qui vit dans la grande forêt et que les Gabonais appellent « l'assala »), paradis des grands singes, paradis des safaris.

Qu'il utilise le fusil ou la caméra, le chasseur ne regrettera pas son déplacement au Gabon. Le chasseur de trophées aura le choix entre Iguéla, Setté-Cama et N'Dendé, domaines de chasse où il trouvera des guides rompus à la pratique du pistage et de l'approche des animaux. Et le chasseur d'images, pour sa part, sera émerveillé par les pélicans et les oiseaux multicolores qui peuplent la région des grands lacs de Lambaréné.

A Lambaréné, ville du célèbre docteur Schweitzer, une visite au pittoresque hôpital du « grand docteur blanc » complétera utilement ce séjour dans le chef-lieu de la province du Moyen-Ogooué.

Le pêcheur aussi pourra s'adonner à sa passion : soit dans les rivières nombreuses et poissonneuses, soit en pleine mer où il taquinera à loisir le gros poisson : tarpons, carangues, rouges, mérous, thons, barracudas, raies, capitaines, bars, etc. Mais il lui faudra être habitué aux émotions fortes !

L'artisanat et le folklore gabonais présentent par ailleurs une variété et une vitalité exceptionnelles. Mbigou, par exemple, petite bourgade de la province de la N'Gounié, recevra l'amateur de statuettes, sculptées dans cette belle « pierre de Mbigou », à moins qu'il ne se contente de visiter le village de sculpteurs de la pierre de Mbigou situé aux environs de la capitale.

Ce ne sont là que quelques-unes des innombrables possibilités qu'offre le tourisme gabonais dont la richesse reste cependant potentielle. Il n'empêche que le tourisme d'affaires et le tourisme sportif ne cessent de se développer et l'on peut considérer que les efforts du gouvernement gabonais en vue de renforcer les structures d'hébergement et de promouvoir le tourisme de loisirs tiendront leurs promesses dans un proche avenir.

En attendant, l'aventure est encore à la portée de celui qui, avide de découvertes, n'hésitera pas à s'engager dans cette exubérante et fantastique nature gabonaise.

Marigot dans la région de Libreville.

2. LES GROUPES ETHNIQUES

Malgré la volonté affirmée des autorités de créer un véritable sentiment national, les liens ethniques conservent encore au Gabon une importance considérable.

Le plus important des groupes ethniques, sur la quarantaine que l'on dénombre à l'heure actuelle, est celui des Fang qui représentent environ le tiers de la population. Situés principalement dans les provinces du Woleu-N'Tem et de l'Estuaire, ils occupent pratiquement tout le nord du pays avec les Mpongwe qui étaient les seuls habitants de la région de l'Estuaire au moment de l'arrivée des premiers explorateurs.

Port-Gentil, deuxième ville du Gabon, et sa province constituent le territoire privilégié des Myéné et des Eschira, tandis que les Batéké (ethnie à laquelle appartient le Président Bongo alors que le défunt Mba était Fang), les Mahongwe, les Bakota et les Obamba (ou Bambamba) se partagent l'est et le sud-est du pays. Le massif central gabonais regroupe les Mitsogho et les Bandjabi, et le littoral atlantique au sud de l'Ogooué-Maritime est le domaine des Bapounou.

A signaler encore quelques groupes numériquement de moindre importance, tels que les Pygmées du nord-est ou les Okandé et les Adouma de la région des lacs de Lambaréné.

L'influence de ces races demeure très vive dans la vie quotidienne des Gabonais. Même dans les villes, ceux-ci se regroupent selon leur ethnie dans des quartiers différents, et bien souvent on accède encore à une certaine promotion sociale grâce au clan, à la tribu ou à l'ethnie dont on est issu.

Masque de gorille Fang.

3. RITES ET CROYANCES

A ce sujet, un auteur gabonais aujourd'hui disparu, André Raponda-Walker, a écrit un ouvrage des plus complets qui soient (1). Il explique notamment que, si la plus grande partie de la population gabonaise a été évangélisée, les croyances, les rites et les coutumes n'en sont pas restés moins vivaces pour autant.

C'est ainsi qu'il existe un culte bien particulier auquel s'adonnent (parfois sous des noms différents) la plupart des Gabonais : le « Mbouiti » ou « Bwiti », qui est toujours célébré, jusqu'aux portes mêmes de la capitale. D'origine Mitsogho, la célébration du Bwiti, que les Fang ont repris à leur compte, se manifeste par une envoûtante cérémonie qui mêle d'étranges scènes d'exorcisme au plus profond mysticisme monothéiste. Car s'il n'existe pas au Gabon de culte spécial consacré à Dieu, les adeptes des différents cultes ne

Danse du masque Okukwé (Galoa), de Lambas. Représentation de l'esprit venant visiter les hommes.

(1) Il s'agit de « Rites et croyances des peuples du Gabon », écrit en collaboration avec Roger Sillans et publié par les éditions « Présence africaine ». A noter, pour la petite histoire, que c'est le père de l'auteur, Bruce Walker, un agent anglais de la société commerciale Hatton & Cookson, qui le premier installa un comptoir sur l'Ogooué, plus précisément sur la pointe d'une île, là où s'élève maintenant Lambaréné ! On peut d'ailleurs affirmer que c'est sans doute là l'origine de cette cité qui deviendra célèbre avec l'arrivée d'Albert Schweitzer, car cette « factorerie » d'Hatton & Cookson attirera très vite les populations, faisant ainsi de la future ville de Lambaréné un centre commercial de premier plan.

cessent en réalité de s'y adresser par l'intermédiaire des ancêtres qui jouent un grand rôle dans la vie spirituelle des Gabonais.

Pour être initié, ou pour communiquer avec les ancêtres, il faut subir une préparation spéciale et se trouver dans un état semi-comateux que seule l'iboga, plante sacrée, peut provoquer grâce à ses vertus hallucinogènes. De nombreuses plantes sont ainsi utilisées au Gabon non seulement à des fins médicinales, mais aussi rituelles. C'est également le cas de certains arbres, tels que l'olumi, au pied duquel se réunissent les adeptes du Bwiti.

Le voyageur, s'il est accompagné, peut espérer, du moins autour de la capitale, assister aux cérémonies du Bwiti qui ont généralement lieu les vendredi et samedi soir dans les villages, à la seule lueur des lampes-tempête, dans des cases prévues à cet effet que l'on nomme « Mbandja ».

Si le Bwiti est le culte le plus répandu, il n'est pas le seul, tant s'en faut, de même qu'il existe d'innombrables croyances en des êtres surnaturels : revenants, fantômes, génies bons ou mauvais, farfadets ou lutins, etc. En outre, les Gabonais attachent la valeur de présage aux faits les plus communs. Si le passage ou les cris de certains animaux, par exemple, annoncent des événements plus ou moins favorables, les rêves constituent des avertissements adressés par les ancêtres.

La médecine traditionnelle continue d'occuper une grande place au Gabon. Par leurs connaissances des propriétés médicinales de certaines plantes, les guérisseurs (« Nganga ») obtiennent souvent des résultats surprenants. Ceux-ci sont également consultés pour les oracles qu'ils rendent.

4. ARTS ET CULTURE

Certains arts du Gabon, comme la sculpture, ont des fonctions rituelles. Les statues et les masques, bien connus des amateurs d'art nègre, sont en effet intimement liés à la célébration de cultes religieux.

Les masques en particulier, supports de la force sacrée, sont utilisés par les nombreuses confréries initiatiques qui existent dans ce pays dans le but de faire participer les esprits à la vie du village. Les masques représentent « l'aspect concret de la conception mythique que les hommes ont des esprits ». Même à l'heure actuelle, dans les fêtes de villages où les masques ne semblent animer que des réjouissances populaires, apparemment privées de leur sens religieux originel, ils continuent d'inspirer un respect mêlé de crainte sacrée.

Les styles de masques sont très nombreux et très variés. On peut toutefois distinguer les masques « blancs » de la boucle de l'Ogooué et du Sud-Gabon (Adouma, Bandjabi, Mitsogho, Bapounou, Myéné), les masques-heaumes des Bakota qui recouvrent entièrement la tête, et les grands masques abstraits des Fang. Fabriqués en bois léger, les plus connus sont les masques Bakota, décorés de cuivre, alors que les masques Fang sont la plupart du temps ornés de plumes de coq et les masques Batéké (que l'on retrouve au Congo) décorés de figures géométriques.

Les statues, deuxième volet de la sculpture gabonaise, étaient essentiellement destinées au culte des ancêtres, très répandu au Gabon surtout avant l'arrivée des missions chrétiennes. C'est la raison pour laquelle on les trouve dans les sanctuaires et aux emplacements réservés aux cérémonies religieuses.

Les statues surmontaient les ossements des ancêtres, eux-mêmes enduits de poudre rouge et décorés de figures peintes au kaolin. Le style des statues Fang du Nord-Gabon est assez homogène. Celui des reliquaires Bakota, de l'est, présente en revanche une plus grande variété. Citons les « Byéri » des Fang, qui servent à la célébration du Bwiti, et surtout les magnifiques reliquaires « Mboy » en bois plaqué de cuivre des Kota-Obamba de Franceville.

● **Les pierres de Mbigou.**

Quoique de création relativement récente, la sculpture sur pierre de Mbigou est sans aucun doute possible la forme la plus originale de l'artisanat gabonais.

Les pierres de Mbigou, qui représentent essentiellement des personnages de la vie et de la société africaines, sont sculptées puis polies dans une roche très tendre mais aussi très lourde, originaire d'un petit village au sud du pays, Mbigou, qui a donné son nom à cette nouvelle forme d'art plastique.

Celle-ci, qui n'est pratiquée que par un petit nombre d'artisans, fait, à juste titre, la fierté du Gabon. La production de pierres de Mbigou, aussi rare qu'elle est admirable, est en effet d'une grande richesse artistique. Par la pureté des lignes, la précision des moin-

Statuette de reliquaire "bwete", Kota-Mahongwé (Ogooué-Ivindo).

Une harpe-cithare Mitsogho, un "ngombi".

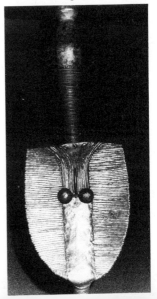

dres détails, et le parti-pris de réalisme, elle constitue un témoignage d'une remarquable authenticité.

La sculpture gabonaise en général a d'ailleurs sa place, et une place importante, dans toutes les grandes collections d'art traditionnel. Les statues Fang et les masques Bapounou furent parmi les premières pièces sculptées d'Afrique rapportées en Europe et les reli-

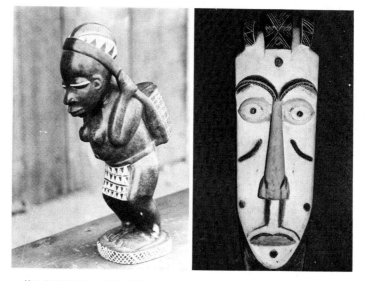

Une "porteuse", sujet traditionnel des sculptures en pierre de Mbigou.

Masque Fang.

quaires Kota-Mahongwé parmi les dernières. Ainsi, le Gabon aura-t-il été à l'origine et à l'épanouissement final de l'art nègre, dont il reste de nos jours, par la qualité et la variété de ses œuvres plastiques, l'un des hauts lieux.

● **La musique.**

On connaît l'importance que revêt la musique traditionnelle dans la société africaine. Omniprésente, elle est de toutes les fêtes et de toutes les réjouissances, en un mot de tous les événements tristes ou gais qui constituent la vie d'un village.

Au Gabon, la musique est une véritable philosophie qu'il est impossible de dissocier du groupe social. Ainsi est-elle inséparable de la célébration de certains cultes aussi bien que de l'histoire de chaque peuple.

Support de la tradition orale, la musique gabonaise est indispensable à la communication des hommes entre eux. La musique vocale, en particulier, facteur de cohésion sociale, unit le groupe ethnique dans ses rites et ses institutions et sert de véhicule à l'enseignement.

La musique instrumentale, prolongement de la parole, est caractérisée au Gabon par un certain raffinement, une douceur et une finesse sonore qui n'exclut pas les débordements des rythmes de percussion.

Il existe une grande profusion d'instruments. On peut classer ceux-ci en trois catégories :
— les instruments à corde ;
— les instruments à percussion ;
— les instruments à lamelles pincées.

De tous les instruments à corde, le Mvett des Fang est le plus remarquable. Sorte de cithare primitive (simple lanière d'écorce détachée superficiellement d'une tige de bambou et tenant encore par ses extrémités à celle-ci, soulevée et tendue en guise de corde) à laquelle on adjoint des résonateurs et de nouvelles cordes, cet instrument accompagne les épopées guerrières chantées par des bardes. Ce terme de Mvett désigne d'ailleurs aussi bien l'instrument que l'épopée ou même la culture Fang dont il est synonyme.

Depuis l'arc musical, le plus simple de tous les instruments à corde répandus sur le continent africain (qui utilise cependant une curieuse technique en ce sens que c'est la cavité buccale de l'instrumentiste qui fait office de caisse de résonance, les différentes positions de la langue et les formes variables que peut prendre la bouche permettant d'obtenir des nuances subtiles à partir du son de la corde, pincée de la main gauche) jusqu'à la harpe huit cordes (« N'Gombi »), c'est toute une filiation qui s'établit à travers différentes sortes de pluriarc, dont le type Eschira (« Tsambi ») et le Batéké (« N'Gwomi ») sont les plus caractéristiques.

Nombreux et variés sont les instruments à percussion : tambours à membranes (classés suivant le mode de tension et de fixation de la peau sur un tronc d'arbre évidé et sculpté) ; tambours d'une seule masse de bois évidé (sur laquelle sont aménagées des ouvertures destinées à diversifier le son, de part et d'autre d'une fente longitudinale) ; cloches rituelles de métal ; sonnailles de chevilles en coques de fruits tronquées, cousues sur une pièce de cuir ; hochets et grelots en bois, en métal ou en vannerie ; balafons enfin, instruments (entièrement en bois) à lames percutées qui sont les xylophones des Fang.

Parmi ce type d'instruments, il convient particulièrement de citer le tambour de bois N'kul des Fang qui sert à transmettre des messages ; le tambour à friction qui imite le grognement de la panthère et qui accompagne chez les Bapounou et les Eschira des rituels magiques ; les balafons associés autrefois (exclusivement chez les Fang) au culte des ancêtres et qui, groupés par cinq du plus grave au plus aigu, sont devenus portatifs pour former maintenant des orchestres.

La Sanza, apanage exclusif du continent africain, est le seul instrument à lamelles pincées du Gabon. Il se compose d'une boîte formant caisse de résonance sur laquelle sont alignées des lamelles de rotin ou de métal qui, libres à une extrémité, sont pincées par les pouces de l'exécutant.

5. LE GABON ADMINISTRATIF

Le Gabon renferme neuf provinces, d'inégale importance, administrées par des gouverneurs et divisées en départements. Avec leurs consonnes chantantes, ces provinces résonnent aux oreilles étrangères comme une promesse d'exotisme et de dépaysement. L'Estuaire (chef-lieu Libreville), le Haut-Ogooué (Franceville), le Moyen-Ogooué (Lambaréné), la Nyanga (Tchibanga), la N'Gounié (Mouila), l'Ogooué-Ivindo (Makokou), l'Ogooué-Lolo (Koula-Moutou), l'Ogooué-Maritime (Port-Gentil), avec son district autonome de Setté-Cama-Gamba, le Woleu-N'Tem (Oyem).

A l'exception de Libreville et de Port-Gentil, les autres chefs-lieux ont longtemps fait figure de « petits centres en dur », pôles d'attraction pour les populations et relais entre le village et la capitale. Puis, progressivement, le développement industriel du pays a fait pousser de véritables cités-champignons là où il n'y avait autrefois qu'un semblant de communauté. Ainsi a pu être partiellement enrayé cet exode sauvage des jeunes vers Libreville et Port-Gentil. Si l'exode rural existe toujours (véritable fléau pour l'agriculture nationale), c'est à présent presque au seul détriment des villages, car les chefs-lieux de province ne cessent de se peupler chaque jour davantage. Franceville, par exemple, dans le sud du pays, qui a littéralement jailli de terre, est devenue par l'importance de sa population, de son étendue et de ses constructions une grande métropole nationale.

Si les pouvoirs législatif, exécutif et judiciaire et la quasi-totalité des sociétés implantées au Gabon sont rassemblés à Libreville, il existe une indéniable décentralisation économique qui concourt à un meilleur équilibre des provinces entre elles et, parlant, à la formation d'une véritable nation.

Jeunes enfants de la région de Fougamou, à 300 km environ au sud de Libreville.

III - LES PRINCIPAUX SITES TOURISTIQUES

1. LIBREVILLE ET SES ENVIRONS

C'est à l'aéroport international Léon-Mba de Libreville qu'arrive le voyageur en provenance de l'étranger. Si c'est la première fois qu'il se rend au Gabon, il sera surpris de découvrir cette foule joyeuse et colorée qui vient assister, quelle que soit l'heure, au décollage et à l'atterrissage des avions long-courriers.

Après — il faut bien le déplorer — d'assez lentes formalités de police et de douane, le voyageur sera sollicité par des porteurs et des taximen généralement camerounais, congolais ou togolais, car le Gabonais dédaigne ce genre d'occupations.

Pour se diriger vers son lieu d'élection, chez l'habitant ou dans l'un des hôtels 4 étoiles de la capitale, le nouvel arrivant empruntera la magnifique voie autoroutière qui mène de l'aéroport à l'entrée de la ville en longeant les plages infinies de sable blanc qui constituent le charme principal de Libreville.

Libreville. Vue aérienne du centre-ville et du bord de mer.

Il parviendra rapidement au cœur d'une cité qui a conservé son cachet particulier de ville-jardin tout en se donnant le visage d'une métropole moderne.

Située à 0°25' de latitude nord sur la rive droite de l'estuaire du Como, à 46 km de l'Equateur, Libreville a su en effet ne pas renier son passé. Place d'affaires du Gabon, Libreville offre au visiteur une vision passée, présente et future de cette jeune nation. Métropole politique et administrative en pleine expansion, siège de la présidence de la République, du gouvernement, de l'Assemblée nationale et des plus hautes institutions de l'Etat, elle est également la préfecture de la province de l'Estuaire.

S'étalant sur les collines qui bordent l'estuaire, Libreville présente des aspects très différents. D'anciennes demeures coloniales y côtoient des édifices futuristes, des cases traditionnelles paraissent défier les hôtels de luxe, et les rues populaires se moquer des larges avenues. L'ensemble est noyé dans une végétation luxuriante. Bananiers, manguiers, cocotiers, palmiers à huile, arbres à pain, badamiers rivalisent d'exubérance avec des plantes et des fleurs de toutes espèces.

Le centre-ville escalade un plateau qui longe la mer, au pied duquel s'étire son magnifique boulevard de l'Indépendance (dit « du bord de mer »). Quartier du commerce et des affaires, qui grouille en semaine d'une populace affairée, il est aussi celui des autorités politiques et administratives du pays. La circulation automobile y est plus importante d'année en année. Les vieux « Gabonais d'adoption », habitués à l'ancienne torpeur coloniale, se sentent de moins en moins chez eux dans ces rues bourdonnantes, pleines d'autos, de feux rouges et de sens interdits.

A ceux-là, il reste le loisir d'aller flâner dans les quartiers populeux qui cernent le centre-ville en un large arc de cercle qui s'appuie au rivage. Ces quartiers s'élèvent à l'emplacement d'anciens villages dont ils ont conservé les noms. Gué-Gué, Gros-Bouquet, Louis, Kwaben, N'Kembo, Nombakélé, Akébé, Glass, Lalala, Oloumi. Au total, vingt-deux villages entourent le plateau central de Libreville que de larges rues plantées de badamiers permettent de rejoindre facilement.

Pas de mendiants ni d'enfants qui tendent la main au passage des touristes. L'étranger, au contraire, fait l'objet d'un accueil souriant et enjoué des enfants, des femmes et des hommes qui « habitent le village » et qui, souvent, proposent l'hospitalité au visiteur.

Ce respect de l'aspect traditionnel de Libreville, l'exubérance de sa végétation, et le rythme auquel la ville moderne se transforme et s'agrandit font de cette capitale l'une des plus attachantes d'Afrique.

Certains visiteurs se montreront sensibles au charme désuet de cette métropole de plus de cent mille habitants où de coquettes villas blanches, à persiennes et balcons circulaires, continuent de somnoler sous leurs frondaisons, où de vieilles pirogues creusées dans la masse finissent de pourrir au bord du rivage en compagnie de billes de bois rejetées en mer par les bateaux grumiers. D'autres s'attacheront davantage aux importantes réalisations industrielles et

Paysage du cap Estérias, à 30 km de Libreville.

à l'aspect futuriste d'une ville dont la fondation officielle remonte à moins de 150 ans.

Une visite rapide peut être rendue à la cathédrale Sainte-Marie, vieille de quelques dizaines d'années, en raison de l'emplacement qu'elle occupe. C'est là qu'en 1843 fut édifié le fort d'Aumale.

Le 18 mars 1842, le roi Dowe, dit Louis, chef de la rive droite de l'estuaire, signait un traité avec le lieutenant de vaisseau Bouet-Willaumetz par lequel il cédait en toute propriété aux représentants de la France « le terrain de l'ancien village (1) de son père pour y élever telle bâtisse ou fortification qu'il leur plaira ». Le fort d'Aumale (ainsi baptisé par les marins français en l'honneur de leur propre souverain Louis-Philippe) fut alors construit sur les hauteurs de ce terrain qui allait donner naissance à Libreville. En 1849, la frégate Pénélope arraisonnait pas très loin du mouillage un navire négrier brésilien, l'Elizia, en route pour l'Amérique et délivrait aussitôt ses captifs. Ceux-ci, auxquels l'administration française concéda quelques lopins de terre près du fort d'Aumale, érigèrent un nouveau village sur l'emplacement actuel de la présidence de la République. Et c'est en souvenir de leur délivrance que Bouet-Willaumetz donna officiellement cette année-là le nom de Libreville à l'agglomération commune ainsi constituée.

---

(1) Ce terrain s'étendait entre les quartiers actuels de Glass et de Louis.

Vue aérienne du port d'Owendo, plaque tournante de l'économie gabonaise.

Enfin, en 1850, on décida d'abandonner le fort pour installer un nouveau comptoir sur le plateau, avec casernes, ateliers, forges et un débarcadère sur l'estuaire. Le plateau devint ainsi un important centre commercial, ce qu'il est resté jusqu'à nos jours.

Derrière la cathédrale Sainte-Marie, on apercevra encore la vieille église du même nom qui abrite à présent les locaux de l'archevêché.

Dans ce même ordre d'idées, il ne faut pas manquer de se rendre à l'église Saint-Michel (dans le quartier de N'Kembo) qui est sans aucun doute la plus typique de la capitale. De construction pourtant récente (1967), son originalité provient de ses 31 piliers de bois finement sculptés par un artisan de Lambaréné qui représentent des scènes de l'Ancien et du Nouveau Testament.

A noter que les messes célébrées en cette église sont dites et chantées en Fang, langue vernaculaire de la région, et accompagnées au balafon, au son duquel dansent les fidèles. Un « spectacle » tout à fait captivant.

Sur le plateau, quartier administratif et commercial, on pourra faire du shopping tout en découvrant le nouveau palais de la Présidence de la République (le précédent construit à l'emplacement de l'ancien palais du gouverneur a été abattu au cours du premier semestre 1976) et les différents ministères. A signaler, près du ministère de l'Economie et des Finances, presque en face du bâtiment de la Société d'Energie et d'Eau du Gabon (S.E.E.G.), le mausolée abritant la dépouille mortelle du premier Président de la République gabonaise, Léon Mba.

Entre la cathédrale Sainte-Marie et le ministère des Affaires étrangères et de la Coopération, à la sortie de la ville, une petite route conduit à l'hypermarché Mbolo (« Bonjour » en Fang) devant lequel les amateurs d'artisanat traditionnel trouveront un grand choix de souvenirs africains.

● **Le village de Mbigou.**

Plus typiquement gabonais seront les souvenirs rapportés du village des sculpteurs de Mbigou, situé à quelques kilomètres de l'aéroport. Ce village est composé d'artisans originaires de Mbigou, dans le sud du pays. Des pierres brutes sont acheminées des carrières de Mbigou jusqu'à ce village qui permet à ses habitants, en raison de sa proximité avec la capitale, d'écouler plus aisément le produit de leur art aux touristes, aux hommes d'affaires ou même aux Librevillois. Il constitue d'ailleurs l'un des lieux privilégiés du tourisme gabonais, car l'on peut assister au travail minutieux de ces

Un village de pêcheurs aux abords de Libreville.

sculpteurs qui le sont de père en fils. C'est là un détour qu'il ne faut pas manquer de faire.

- **La zone côtière.**

Une magnifique route côtière, de part et d'autre de la capitale, incite à l'évasion. Elle mène, au nord-est, au nouveau port d'Owendo (15 km) à travers un paysage de savanes, et au sud, au cap Estérias (30 km) en serpentant parmi une majestueuse forêt d'okoumés.

Le port en eau profonde d'Owendo est la plus grande réalisation de l'Estuaire. Débouché maritime de l'industrie gabonaise, il constituera le terminus du chemin de fer Transgabonais qui apportera le bois de Booué et le fer de Bélinga. Mais déjà son trafic est intense.

La route qui s'y rend, entièrement asphaltée, longe sans cesse le bord de mer à travers un joli paysage de savanes. Au passage, on remarquera le chantier et les premiers tronçons du Transgabonais. A Owendo, un panorama splendide, depuis les collines avoisinantes, permet de découvrir l'ensemble des installations portuaires, les flottaisons de bois et les îles Coniquet et Perroquet. Si la première (1) renferme d'importantes réserves de calcaire destinées à la cimenterie d'Owendo, il est prévu par le plan de développement gabonais que la seconde soit convertie en séjour de repos, avec équipement nautique.

Promenade classique pour les Librevillois, la route qui conduit au cap Estérias est invisible pour le pilote d'avion. Elle disparaît en effet dans la superbe forêt classée de la Mondah, réserve d'okoumés géants, l'arbre-roi de la grande forêt gabonaise.

Les plages les plus belles bordent cette route. De la sortie de Libreville au cap, ce ne sont qu'immenses étendues de sable fin ombragées de cocotiers et de badamiers, coupées de petites criques où se jettent les petites rivières de la forêt voisine.

Quelques kilomètres après l'aéroport, une première piste de latérite mène à « la Sablière », l'une des plages les plus fréquentées par les Librevillois « d'adoption » où les seins nus ont fait depuis quelques années leur apparition. Les adeptes d'un naturisme sauvage seront du reste parfaitement à leur affaire, mais en semaine, sur cette plage en lisière de la forêt. Le week-end, les Librevillois viennent en effet nombreux sacrifier aux plaisirs de la mer et se reposer dans les petits bungalows de bois qu'ils y ont bâtis.

Plus loin, une piste défoncée par les intempéries oblique vers le cap Santa-Clara où sera réalisé un port minéralier. Mais la route se poursuit jusqu'au cap Estérias et son centre touristique sans prétention. Avec son auberge, son mini-hôtel et ses installations sportives, il propose au touriste ou au Librevillois en villégiature sa plage, ses criques sauvages, le calme, la détente et le plaisir de savourer de l'authentique cuisine gabonaise (2).

A l'ombre des cocotiers et des palmiers à huile, les plages du cap constituent l'endroit idéal où passer des vacances. L'eau y est claire,

(1) Un château portugais du XVe siècle y serait enfoui dans la végétation.
(2) Il faut absolument goûter au succulent « poulet au gnembwé », le plat national, ainsi qu'aux crabes farcis à la gabonaise : exquis !

propice à la chasse aux coquillages de corail ainsi qu'à la pêche sous-marine.

La pêche peut aussi être pratiquée au large de Libreville, à la Pointe Denis, sur la rive gauche de l'estuaire, où les Librevillois passent fréquemment leurs week-ends, à l'abri de paillottes sommaires. Cet endroit, du nom du roi Denis qui signa un premier traité avec la France le 9 février 1839, représente également un lieu de villégiature idyllique, pourvu que l'on n'oublie pas d'y emporter son pique-nique... ou que l'on soit pêcheur.

Plus belles encore de ce côté-ci de l'estuaire, peu protégées du soleil, les plages de la Pointe sont inondées d'une lumière éblouissante. Havre des tortues géantes, il n'est pas rare d'y apercevoir des spécimens de plusieurs dizaines de kilos.

Le gouvernement gabonais, qui tient à mettre en valeur les sites touristiques proches des principales villes, a décidé d'accorder la priorité au tourisme balnéaire, et plus précisément à l'aménagement des plages, car en Afrique centrale, seul le Gabon dispose de plus de 800 km de plages sans barre.

C'est ainsi qu'il a été prévu d'édifier au lieu dit « Plage des remorqueurs », à une dizaine de kilomètres de Libreville, un village de vacances sur un terrain de 11 hectares, avec équipements sportifs. A la Pointe Denis, c'est tout un complexe qui a été envisagé. Il comprendrait notamment une zone commerciale, des équipements sportifs et culturels, un port de plaisance, des bungalows avec les installations communes indispensables, et une piste touristique.

En attendant, la Pointe Denis reste un site sauvage où l'on peut s'adonner en toute liberté aux plaisirs de la pêche, de la chasse, ou tout simplement de la mer et du soleil. On ne manquera pas d'y voir les anciennes tombes royales, souvenirs d'un passé pas très lointain.

● **Une ville-fantôme.**

Et pendant le week-end, que devient donc Libreville ?

Si le samedi soir, la ville est en fête (on danse dans les quartiers autour du feu au son des groupes folkloriques « Medzang », ou dans les boîtes de nuit au rythme des orchestres modernes ou d'inspiration traditionnelle), le dimanche Libreville devient une véritable cité-fantôme. Le soleil se traîne interminablement sur l'agglomération morte, où seuls quelques rares taxis filent avec des chiens perdus entre les façades aux fenêtres et aux portes closes. Et l'arbre du voyageur, qui s'épanouit en un large et somptueux éventail, désespérément solitaire, ne justifie plus son nom. C'est que toute l'activité sociale abandonne le centre-ville pour se déplacer le dimanche vers la plage et les quartiers populeux.

● **A l'orée de la forêt vierge.**

Avec sa rade, Libreville commande le passage de l'estuaire vers l'intérieur : le Como et ses affluents furent d'ailleurs les premiers chemins de pénétration des explorateurs. Mais, à l'heure actuelle, le premier tronçon de la nationale 1 (Libreville-Congo), axe revêtu qui longe l'estuaire et dessert les exploitations forestières, permet

Une scierie perdue en pleine brousse. ▶

aussi de pénétrer sans transition dans la forêt aux arbres gigantesques et aux essences nombreuses et variées.

La route défile rapidement mais le paysage demeure le même. Le silence ouaté de la forêt est troublé seulement par les cris des animaux, et l'envol des oiseaux. C'est un spectacle impressionnant pour l'homme qui se sent écrasé par cette nature démesurée.

Voici un village. Quelques cases de bois recouvertes de feuilles séchées de bananiers ou, plus travaillées, en terre cuite de la région. Sur le bord de la route, des fruits exotiques sont exposés. Avocats, mangues, bananes, ananas, papayes, corosols, atangas... Du manioc aussi et des tarots que les villageois cultivent surtout à leur usage personnel. La route à nouveau, et la forêt à l'intérieur de laquelle, devine-t-on, grouillent les reptiles. Boas, pythons, mambas, et la terrible vipère cornue, dite du Gabon, grosse comme un avant-bras mais prodigieuse de rapidité. Plus rassurants sont ces papillons multicolores qui donnent une grande valeur aux collections de lépidoptères. A quelque 40 km de Libreville, un village d'artisans propose des instruments typiques au voyageur. Des tambours, bien sûr, et des balafons, mais aussi toutes sortes d'arcs à corde, mvett, n'gombi, etc.

Un peu plus loin s'élève N'Toum, gros village carrefour où s'embranche la route de Cocobeach.

• Cocobeach et les chutes de Kinguélé.

L'accès à Cocobeach (Libreville-Cocobeach : 130 km), par une route côtière très sinueuse, est assez difficile, mais le calme et la beauté sauvage de ses plages récompensent le voyageur. Seconde sous-préfecture de l'Estuaire, au nord de la capitale, cette bourgade de pêcheurs est située au bord de l'océan sur la Pointe Bini qui forme la rive gauche du Rio Muni, face à la Guinée équatoriale.

Pour se rendre aux spectaculaires chutes de Kinguélé, à 150 km (par la route) à l'est de Libreville, la seule voie de pénétration avant la construction de la route était le fleuve Como dans lequel se jette la Mbei. En remontant ce fleuve et une partie de la Mbei, il était possible d'atteindre le petit village d'Andok Foula servant de point de départ aux expéditions qui devaient se frayer leur chemin sur un terrain difficile à travers la forêt. Aujourd'hui, rien de plus facile que de se rendre sur les lieux de l'aménagement hydro-électrique de Kinguélé. Après N'Toum puis Kougouleu, l'accès au site s'effectue par la route Kougouleu-Médouneu jusqu'à Assok (à 130 km de Libreville), puis par une piste forestière ombragée de 18 km de long. Il n'est pas impossible que les derniers kilomètres réservent la surprise d'une rencontre avec quelques éléphants ou autres animaux sauvages.

C'est en longeant la rivière Mbei qui serpente dans un couloir de forêt que l'on découvre une vue splendide sur les petites chutes de Kinguélé qui franchissent en trois sauts une dénivelée de 35 m.

On parvient ensuite au site du barrage (1) où le bruit assourdissant des eaux annonce la grande chute de Kinguélé haute de 45 m qui apparaît dans un décor magnifique d'okoumés et de fromagers. A cet endroit, la rivière forme une large boucle de 2.700 m inclinée vers le nord pour une dénivellation de 113 m. Aux yeux des habitants de la région, les chutes de Kinguélé, en dépit de leur ouverture au tourisme, gardent leur mystère et restent lieu tabou où, comme autrefois, les sorciers accomplissent leurs dévotions.

Un village africain des environs de la capitale.

Les légendes et les croyances qui entourent ces chutes ont pour origine leur situation dans une région accidentée des contreforts des monts de Cristal, rendue impénétrable par une végétation très dense, et le bruit impressionnant de leurs eaux tumultueuses rompant le silence écrasant de la forêt.

(1) Il fut construit par la Société d'Energie et d'eau du Gabon en collaboration avec l'Electricité de France pour satisfaire les besoins en électricité de la capitale et inauguré le 19 juin 1973 au terme de deux ans et demi de travaux. Il a déjà été prévu, après la régularisation du cours de la Mbei, la construction d'un nouveau barrage (réservoir) à Tchimbélé, en amont du complexe de Kinguélé qui triplera la puissance nominale de celui-ci.

2. LAMBARÉNÉ ET LES GRANDS LACS

Lambaréné, liée à l'impérissable souvenir du docteur Schweitzer, se trouve à 250 km environ de Libreville par l'ancienne route fédérale reliant le Cameroun au Congo, via Kango et Bifoun.

S'il est conseillé de s'y rendre en avion en période de grandes pluies, en saison sèche il s'avère très intéressant d'effectuer le trajet par la route (1). Ne serait-ce que pour avoir l'impression de marcher sur les pas du « Bon Docteur » qui accomplit pour la première fois ce même parcours en 1913.

Mais Lambaréné est également accessible par le fleuve Ogooué depuis Port-Gentil. Toutefois, les moyens de transports essentiellement commerciaux jusqu'à maintenant ne présentent pas toutes les garanties de confort et de régularité que l'on souhaiterait.

Lambaréné est située sur une île aux confins du pays Galoa, qui longtemps fut accessible seulement par le fleuve. Aujourd'hui, deux grands ponts relient Lambaréné aux rives de l'Ogooué. Sa situation privilégiée, au confluent de l'Ogooué et de la N'Gounié, son principal affluent, en fit rapidement un important centre commercial, après que la France eut signé un traité d'amitié et de commerce avec les rois N'Kombe et Ranoke, souverains des tribus Galoa et Enenga qui peuplaient la région depuis le XVe siècle.

De nos jours, Lambaréné est demeurée un pôle d'attraction commercial pour les villageois de la région, peuplée seulement de 50.000 habitants. Ce chef-lieu de la province du Moyen-Ogooué a gardé le visage d'une petite ville tranquille qu'anime de temps en temps le spectacle, sans cesse renouvelé mais toujours passionnant, du flottage des billes d'okoumé sur le fleuve, et le passage bruyant de camions de transports ou des véhicules caractéristiques de l'hôpital Schweitzer.

● L'hôpital Schweitzer.

Cet hôpital, qui continue d'attirer, de très loin parfois, des familles entières en quête de soins, est longtemps demeuré tel que le « Grand Docteur » l'avait construit entre 1924 et 1926. Mais beaucoup de choses, heureusement, ont changé depuis la mort du docteur, en 1965.

Il y a bien sûr toujours les anciens bâtiments, mais la plupart ont cédé le pas à de nouvelles constructions, pour faire office de musée, dont le conservateur, « Papa Lee », vécut plusieurs années en compagnie du Prix Nobel de la Paix.

On découvrira ainsi avec émotion la petite chambre du médecin alsacien, son lit à moustiquaire, sa table de travail et son fameux piano qu'il aimait à retrouver le soir. Et aussi sa bibliothèque, les livres qu'il a feuilletés, certaines lettres écrites de sa main. On visitera également l'ancienne salle d'opérations et de consultations et le village de Lumière où vivent et sont encore soignés les lépreux.

Tout cela est religieusement entretenu, de même que la tombe

---

(1) Soixante kilomètres de route goudronnée, le reste en piste de latérite.

du docteur, près de son ancienne habitation, qui est devenue un lieu de pèlerinage.

Si l'hôpital a changé de visage, si l'électricité réservée jusqu'en 1965 au seul bloc opératoire est installée aujourd'hui partout grâce à une nouvelle centrale plus puissante, si toutes les salles d'opération, de soins, d'analyses ou de radiologie sont climatisées, l'ensemble n'en présente pas moins un caractère de vétusté qui frappe le visiteur d'emblée et contraste avec l'étonnante propreté des lieux. Aussi sera-t-il construit dans un proche avenir un hôpital moderne, « digne du Gabon d'aujourd'hui » précisent les publications officielles.

Le souvenir encore vivace du docteur Schweitzer dans l'hôpital qu'il a édifié vaut à cet établissement un flot incessant de touristes venus des pays les plus lointains. Ils sont assurés d'y recevoir un accueil des plus chaleureux, la table et le gîte leur étant proposés dans la mesure des possibilités.

● **Les grands lacs.**

Mais cet hôpital, tout auréolé qu'il soit de la réputation et de la légende du bon docteur qui sacrifia une brillante carrière pour venir soigner les lépreux du Gabon, n'est pas, tant s'en faut, l'unique attrait touristique d'une région au climat très agréable pour l'intérieur. Le Moyen-Ogooué possède d'autres sites touristiques encore

peu exploités, par exemple les plantations de palmiers, les paysages lacustres et insulaires et notamment l'île de la Tortue et le célèbre lac aux Pélicans où l'on peut voir toute une faune pittoresque d'oiseaux.

Depuis l'hôpital, les fameux pagayeurs Okandé ou Adouma conduisent leurs pirogues à moteur au milieu des rapides de l'Ogooué, puis dans les grands lacs environnants qui servent de déversoirs au fleuve en période de crues. Là, pélicans et ibis roses s'ébattent librement dans une nature sauvage dans la pleine acception du terme. Les hippopotames y sont nombreux, ainsi que les crocodiles que l'on peut voir se prélasser sur les berges marécageuses...

Makokou (Ogooué-Ivindo). Des enfants se baignent dans le fleuve.

◄ *Une vue du chemin qui mène aux bâtiments principaux de l'hôpital Schweitzer.*

3. PORT-GENTIL

Coupée de la terre par l'un des multiples bras du delta de l'Ogooué qui débouche à cet endroit dans l'océan, l'île Mandji (1), nom local de Port-Gentil, n'eut longtemps pour seule ressource que l'exploitation du bois. Acheminé de l'intérieur du pays par flottaison sur le grand fleuve gabonais, l'okoumé était soumis aux différentes opérations de sciage, de déroulage et de placage avant d'être embarqué pour l'étranger.

A l'heure actuelle, si Port-Gentil demeure le débouché naturel du bois gabonais (l'une de ses usines, la C.F.G., passe pour être la plus importante fabrique de contre-plaqué du monde), ce petit port industriel est devenu entre 1957 et 1976 le plus grand centre pétrolier d'Afrique noire francophone. Entre ces deux dates, plus de 70 millions de tonnes de pétrole sont sorties des gisements de Port-Gentil et de son littoral atlantique, pour des réserves que l'on estime encore supérieures à 100 millions de tonnes.

L'essor économique de Port-Gentil s'est traduit par une expansion spectaculaire. Seconde ville du Gabon avec 50.000 habitants (2), chef-lieu de la province de l'Ogooué-Maritime, Port-Gentil arbore fièrement son titre de capitale économique du pays. En quelques années, l'agglomération a vu affluer de partout une population de ruraux attirés par les possibilités d'emploi, et ses origines se reflètent dans la disposition des quartiers.

Fondation européenne, Port-Gentil présente à l'instar de Libreville des aspects urbains très différenciés. Le centre-ville se rassemble autour d'une longue artère, parallèle au front de mer, dans laquelle sont situés les commerces et les sociétés de la place. Des rues transversales la rejoignent, ombragées de filaos et de cocotiers, avec leurs villas enfouies dans la verdure. Vers l'intérieur, la ville africaine débute par de jolies cases en dur qui abritent la classe moyenne de la population. Apparaît ensuite une guirlande de villages pittoresques, au centre desquels on trouve le Grand Village et son quadrillage de rues, son marché typique et haut en couleur. C'est le secteur le plus populaire et le plus animé de l'agglomération.

Située à quelque 200 km à vol d'oiseau au sud de Libreville, l'île de Port-Gentil (accessible seulement par voie aérienne, maritime ou fluviale) est longue de 30 km pour 4,5 km à 6 km de large. Elle tient son nom de l'ancien gouverneur de l'A.E.F., Emile Gentil, qui effectua une mission hydrographique sur les côtes du Gabon, de 1890 à 1892.

Entourée, du fait de sa situation particulière, de magnifiques plages de sable blanc, Port-Gentil offre de nombreux attraits touristiques. Sa rade et son plan d'eau, des plus beaux qui soient au Gabon, permettent de pratiquer en toute période de l'année la navigation à voile, le ski nautique, la plongée et la chasse sous-marines. C'est

(1) Du nom d'un arbre commun à la forêt gabonaise qui possède l'aspect et les qualités du chêne et du teck.
(2) Pour 10.000 seulement en 1955.

Le marché du port de la capitale économique (Port-Gentil) du Gabon. On s'y rend aussi bien par mer que par terre.

Vue aérienne des installations pétrolières d'Elf Gabon au cap Lopez, près de Port-Gentil.

L'église Saint-Louis de Port-Gentil, l'une des plus anciennes du Gabon.

ici que l'on rencontrera les fameux tarpons qui atteignent 90 kg et plus... Mais attention, les requins ne sont jamais loin !

Pour les promeneurs, les ombrages et la tiédeur du front de mer incitent à la flânerie. A travers les cocotiers, doucement bercés par le vent, on aperçoit d'immenses radeaux de bois flottants : ce sont les parcs où sont stockées les grumes en attente. Spectacle étonnant à ne pas manquer que rehaussent encore le pittoresque marché du port, le mouvement incessant des pirogues de ravitaillement et le contraste frappant entre ces cargos modernes qui mouillent au large et ces pirogues que l'on continue de creuser à la force du poignet dans ce bois qui a donné son nom à l'île Mandji.

Port-Gentil et ses trains de bois le long du front de mer.

4. LE HAUT-OGOOUÉ

Seule du pays à être presque entièrement occupée par la savane, cette province jadis déshéritée connaît une activité industrielle intense depuis la mise en exploitation, respectivement en 1961 et 1962, de ses ressources minières considérables : le manganèse de Moanda et l'uranium de Mounana.

Limité à l'est et au sud par la République populaire du Congo, le Haut-Ogooué est une région moyennement peuplée avec 130 000 habitants, dont environ 30 000 à Franceville, son chef-lieu. Le manque de communications dont a souffert de tout temps cette partie du pays (il fallut attendre 1875 et le Français Savorgnan de Brazza pour que soit entreprise sa pénétration) n'est plus à présent qu'un mauvais souvenir. Le réseau routier du Haut-Ogooué est en effet l'un des plus denses du Gabon. Franceville et Akiéni (32 km) d'une part, et Akiéni - Okondja (90 km) d'autre part ont ainsi été reliées directe-

Paysage de la région de Mounana (Haut-Ogooué), célèbre pour des mines d'uranium, à quelques dizaines de kilomètres de Franceville.

L'un des plus longs téléphériques du monde (76 km). Il achemine, à raison de 250 tonnes par heure, le minerai de fer gabonais de Moanda (Haut-Ogooué) jusqu'à la frontière congolaise.

L'aéroport de Franceville.

ment. De même que Franceville à Moanda et Mounana (75 km), et plus loin encore à Lastourville (Ogooué-Lolo). En outre, la capitale du Haut-Ogooué dispose depuis 1972 d'un aéroport de classe internationale, installé à Mvengué, à 25 km de Franceville. Capable de recevoir toutes sortes de long-courriers, il constitue pour l'aéroport de Libreville un dégagement toujours possible.

Autrefois isolée, Franceville est ainsi à 1 h 15 de Libreville par avion et la liaison routière directe Libreville - N'Djolé - Lastourville - Franceville (800 km) est ouverte depuis 1974.

Les possibilités touristiques du Haut-Ogooué sont nombreuses et variées, cette région offrant les avantages d'un climat plus frais, la douceur de ses paysages, de vastes savanes giboyeuses, de très belles vallées et la grande forêt au nord de la province.

Les sites touristiques principaux sont les chutes de Poubara (où s'élève maintenant un important complexe hydro-électrique) sur l'Ogooué, et leur magnifique pont de lianes, l'un des derniers d'Afrique. Les chutes de la Lékoni à « Angouma », de la Djoumou, les lacs Kabaga, Soubba et Amvoubou, et les réserves de faune sur le plateau semi-désertique du pays Batéké où abondent les buffles, les éléphants, les lions et les gazelles. Par surcroît, la culture altogovéenne est riche en manifestations rituelles, et si les cérémonies d'initiation (le N'Djobi) sont très fermées, elles donnent lieu à de très belles danses publiques.

Le voyageur, pour se loger à Franceville, n'a que l'embarras du choix. Il existe une importante infrastructure hôtelière dans cette cité qui a littéralement surgi de terre en quelques années, en raison de l'essor économique sans pareil de cette province et sous l'impulsion du Président Bongo qui en est originaire. Que de chemin parcouru depuis que Savorgnan de Brazza, découvrant ce site qui lui rappelait les paysages de l'Auvergne, décida d'y édifier en juin 1880 (près du village de Masuku) un poste administratif qu'il appela Franceville !

● Moanda : une cité-jardin.

Mais on ne peut quitter le Haut-Ogooué, première région industrielle du Gabon, sans avoir visité les sites miniers de Moanda et Mounana.

Le manganèse de Moanda, qui représente à lui seul le quart du manganèse utilisé dans le monde, est extrait à ciel ouvert et traité sur place dans l'usine de la Comilog. C'est un minerai très recherché pour la fabrication de l'acier, et le Gabon, n'en fabriquant pas

La première mine d'uranium à ciel ouvert de Mounana, aujourd'hui désaffectée, est maintenant recouverte par les eaux.

encore, en est devenu le premier exportateur du monde (1). Le gisement de Moanda (230 millions de tonnes de réserve d'un minerai à très forte teneur) est d'ailleurs le plus important du globe.

Pour évacuer la production jusqu'à la côte, il a fallu construire un téléphérique monocâble débitant 250 tonnes par heure (pour 292 bennes circulant sans arrêt) et long de 76 km. C'est le plus rapide et l'un des plus longs du monde. A son terminus, à la frontière congolaise, le minerai est alors acheminé par un chemin de fer de 285 km

_____

(1) Avec 2,3 millions de tonnes par an, le Gabon est actuellement le troisième producteur mondial derrière l'U.R.S.S. et le Canada.

Le gisement d'uranium de Mounana, à ciel ouvert. ▶

s'embranchant sur la ligne Congo - Océan à partir de laquelle il reste encore 200 km à parcourir pour parvenir à Pointe-Noire, le port minéralier d'embarquement.

La construction du chemin de fer Transgabonais permettra dans quelques années de résoudre le problème de la saturation du trafic qui freine le développement de la production. Celle-ci pourra passer alors à 4 millions de tonnes par an.

Avec ses allées fleuries, ses parterres de gazon et ses bouquets d'arbres, la cité-pilote de Moanda prend des allures de ville-jardin.

● **Mounana : un village de forêt à l'ère de l'atome.**

A 25 km de là, le village de Mounana est devenu en dix ans la cité gabonaise de l'uranium. Les gisements de Mounana, Boyindzi et Oklo, qui y sont exploités depuis 1961, ont fait passer ce village de forêt dans l'ère de l'atome.

Les réserves de minerai sont évaluées à 100 millions de tonnes, soit plus de 20 000 tonnes d'uranium-métal. Son exploitation a lieu à ciel ouvert. C'est un spectacle grandiose que valorise davantage encore la présence, dans le gisement d'Oklo, d'un réacteur nucléaire fossile formé naturellement dans le sous-sol gabonais il y a près de 2 milliards d'années.

Par la diversité de ses pôles d'intérêt, son climat doux, sa faune variée et ses sites pittoresques, la province du Haut-Ogooué présente un attrait fascinant pour le voyageur qui sera étonné de la qualité de l'accueil que lui réserveront les populations locales.

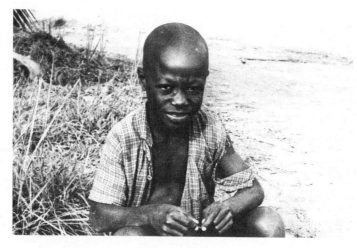

Jeune enfant.

5. LA CHASSE

Les possibilités de chasse au Gabon sont très nombreuses.

Il existe dans ce pays trois parcs nationaux, quatre réserves de faune et trois domaines de chasse répertoriés.

● Safaris-photo.

Les parcs nationaux de Wonga-Wongué et du Petit Loango (dans l'Ogooué-Maritime) et celui de la Lopé (entre N'Djolé et Booué) sont parcourus inlassablement par d'importants troupeaux d'éléphants et de buffles, de même que les réserves de Moukalaba, de la plaine Ouanga (dans la Nyanga) et de l'Offoué (au cœur du pays).

● La chasse au gros gibier.

Les réserves de chasse de Setté-Cama, Iguéla et N'Dendé offrent l'hospitalité à des chasseurs venus du monde entier, attirés par la richesse et la diversité de la faune que le Gabon a su conserver. A Setté-Cama en particulier, il est possible de chasser le gros gibier : éléphants, buffles, gorilles, etc.

6. LA PÊCHE

On ne soulignera jamais assez l'incroyable abondance de la faune marine au Gabon. Le capitaine, le bar, la raie (jusqu'à 2 m d'envergure), la carangue, le mérou, le rouge, le barracuda (ou bécune) et

Au cap Estérias, à 30 km de Libreville, des pêcheurs de tortue.

même l'espadon se pêchent à longueur d'année, certains en rivière, d'autres dans l'estuaire, le long des côtes ou au large.

Attention, la pêche au Gabon, qu'elle soit aquatique ou sub-aquatique, y est sportive par définition : nombreux sont ces poissons qui, pesant couramment entre 2 à 30 livres, peuvent atteindre jusqu'à 300 à 400 livres (1) !

Pêche à la ligne, en mer ou de la plage, au lancer ou à la palangre, à la traîne au vif ou à la cuiller, la pêche au Gabon ne peut être que miraculeuse pour le pêcheur européen habitué à de maigres prises. Source de saine exaltation et de souvenirs inoubliables, la pêche à l'espadon (qui a une chair comestible) ou au tarpon (immangeable) qui peuvent atteindre, l'un 5 m de long, l'autre plus de 150 livres, est à elle seule la justification, pour l'amateur de pêche sportive, d'un séjour au Gabon.

Précisons toutefois que la meilleure période pour la pêche va, indifféremment, d'octobre à juin, les trois mois de la grande saison sèche y étant moins propices.

---

(1) C'est le cas notamment du bar et du mérou, le capitaine pouvant atteindre 50 livres et la bécune 60, leur taille variant pour les plus grands entre 1 m et 1,80 m.

La célèbre cascade de São Tomé, dans les hauteurs de l'île

SAO TOME ET PRINCIPE :
DES ILES ENCHANTERESSES

Il est difficile de localiser, au premier coup d'œil, sur une carte, les îles de São Tomé et Principe, qui demeurent les territoires les moins connus d'Afrique.

Et pourtant, l'histoire coloniale de ces deux îles remonte au XVe siècle. C'est en effet le 21 décembre 1470 et le 17 janvier 1471 respectivement que les navigateurs portugais Joao de Santarem et Pedro Escobar découvrent — dans le golfe de Guinée, à 500 km au large du Gabon — ces deux petites îles qui seront baptisées plus tard São Tomé (857 km²) et Principe (114 km²).

Indépendante depuis le 12 juillet 1975, la République Démocratique de São Tomé et Principe occupe une superficie totale de 964 km² avec les îlots de Rolas. Cabras, Pedras Tinhosas et Boné de Jockey. L'île de São Tomé est située à 280 km des côtes africaines, celle de Principe est à 150 km environ au nord-est de São Tomé.

D'origine volcanique, ces îles sont très accidentées. On y compte un grand nombre de pics (le Pico de São Tomé culmine à 2 024 m) et de ravins profonds qui descendent jusqu'à la mer. De nombreuses rivières les sillonnent en tous sens. Le climat de ces îles montagneuses recouvertes d'un manteau végétal très dense se prête admirablement à la culture du café et du cacao. La saison chaude (de la mi-septembre à la mi-juin) est marquée par une forte baisse de température au cours de la nuit. Les moyennes annuelles sont de 29 degrés maxima et de 21 degrés minima, avec des extrêmes absolus respectivement de 32 et 15 degrés.

La population totale du territoire est de l'ordre de 80 000 habitants, dont 65 000 environ dans l'île de São Tomé. Ceux-ci vivent essentiellement de la pêche artisanale et de cultures diverses : cacao, café, coprah, huile de palme, vanille, bananes, cannelle, poivre et tabac.

Le tourisme est appelé à y connaître un grand essor. Des paysages et des sites enchanteurs, un climat idéal, la situation même de São Tomé et Principe, tout participe au développement touristique du pays. La ville de São Tomé, avec sa grande baie, a conservé un cachet de cité-jardin qui fut toujours sa vocation. Un charme ineffable se dégage de ses rues ombragées où alternent avec bonheur badamiers et flamboyants, tamaris et frangipaniers, avec ses demeures charmantes, typiquement ibériques, aux encorbellements en fer forgé, aux toits de tuiles, ses fontaines jaillissantes et ses lavandières infatigables, besognant au milieu d'un chatoiement de linge empilé sur les taillis environnants.

Des voyages organisés depuis Libreville permettent de découvrir ces îles paradisiaques, aux plages infinies et désertiques. D'une limpidité sans égale, la mer incite aux parties de chasse sous-marine

São-Tomé. Cocotiers en bordure de plage.

au cours desquelles on pourra voir évoluer de magnifiques tortues géantes dont les carapaces servent à confectionner de merveilleux bijoux.

On ne manquera pas de se rendre sur les hauteurs de São Tomé pour y découvrir un merveilleux panorama et admirer sa somptueuse cascade, l'un des joyaux touristiques de l'île. Le fort de San Sebastian, qui défendait autrefois la citadelle de São Tomé, est devenu aujourd'hui le musée national où sont exposées les statues de João Paiva, le premier seigneur de São Tomé, ainsi que de João de Santarem et Pedro Escobar, les « découvreurs » de l'archipel.

Les amateurs d'histoire y apprendront que les premiers colons portugais arrivèrent ici dès 1486 pour s'adonner aussitôt à la culture lucrative de la canne à sucre. La main-d'œuvre étant inexistante — aucun indice ne permet de supposer que ces îles étaient déjà habitées quand les Portugais s'y installèrent —, les colons « puisèrent » en face, sur le continent. Les esclaves, provenant pour la plupart d'Angola, permettront à São Tomé d'exporter du sucre dès 1500.

Le Portugal pratiquant toujours une colonisation de peuplement pour mieux s'implanter, le métissage est rapidement réalisé dans ces deux petites îles. São Tomé et Principe servaient de pointes d'escale aux négriers portugais. C'est ainsi qu'en 1544 un de ces navires s'échoua dans le sud de São Tomé. Les esclaves survivants s'enfuirent dans la forêt inexplorée, échappant au contrôle des Portugais. Il se reconstitua alors une société africaine indépendante, hostile aux gens du nord et de la côte, c'est-à-dire aux Blancs et aux Métis. Au fil des ans, les « Angolares » se multiplièrent, et à l'heure actuelle leurs descendants se comptent par milliers.

Après que les Hollandais et des corsaires français eurent tenté aussi de s'emparer de l'archipel, ce n'est qu'en 1878 que le Portugal deviendra réellement maître des deux îles.

Aujourd'hui, le tourisme est le principal facteur de développement de cette jeune république, bien qu'il n'en soit encore qu'à ses premiers balbutiements.

Conclusion

LE GABON D'AUJOURD'HUI ET DE DEMAIN

Pays de l'amitié, le Gabon est aussi celui du tourisme. Mais un tourisme naissant, car les autorités commencent seulement à s'y intéresser, s'étant d'abord préoccupées de l'exploitation des nombreuses richesses naturelles de cet « eldorado de l'Afrique centrale ».

S'il est d'ores et déjà des sites privilégiés comme Libreville et ses environs, Port-Gentil et ses deux « bords de mer », Lambaréné et ses paysages lacustres, Franceville et ses plateaux Batéké, il en est d'autres, encore difficiles d'accès, qui les valent bien.

Dans la province de la Nyanga, Mayumba, entre l'océan et la lagune, en lisière de la grande forêt équatoriale, est réservée aux amoureux de l'aventure et du dépaysement le plus complet. Les plages les plus belles du Gabon et sa magnifique lagune sont des merveilles de la nature. Sa faune aquatique est remarquable et le gros gibier abondant. C'est dans la région de Mayumba que l'on rencontre surtout les situtungas, sorte de gracile antilope qui a d'ailleurs été choisie comme emblème par le Tourisme gabonais.

Dans le Woleu-N'Tem, province la plus septentrionale du Gabon, limitée au nord par le Cameroun et au nord-est par le Rio Muni, l'axe routier Médouneu - Libreville traverse les somptueux Monts de Cristal parsemés de plantations de cacaoyers et de caféiers.

Booué, dans l'Ogooué-Ivindo, célèbre au Gabon pour les exploits des pagayeurs Okandé sur les pirogues desquels on peut descendre les magnifiques rapides de l'Ogooué, accomplissant ainsi une randonnée sportive unique au monde, est avant tout destiné à devenir un remarquable centre touristique. Le cours de l'Ogooué qui s'insinue entre les collines et les monts verdoyants où vivent des Pygmées, et les majestueuses chutes de l'Ivindo en aval de Makokou sont autant d'attraits irrésistibles.

L'Ogooué-Lolo est le paradis des pêcheurs qui n'ont qu'à jeter leurs lignes dans ses rivières poissonneuses et un domaine de chasse où phacochères et sangliers foisonnent.

Le fleuve est entrecoupé par les splendides rapides de Boundji et de Doumé.

En un mot, le Gabon reste encore un monde fascinant à découvrir, royaume de la chasse, de la pêche, des plantes rares et haut-lieu de l'art nègre.

Mais le réseau routier est le point noir de ce pays où la végétation et les pluies équatoriales rendent extrêmement difficile le percement ou l'entretien d'une route. Sur 7 000 km environ de routes dénombrées par les organismes officiels, il n'en est pas le quart en réalité qui soit praticable en toutes saisons.

C'est pourquoi un itinéraire aérien et fluvial sera proposé aux touristes du Gabon de demain. Deux axes ont été dégagés : un axe Port-Gentil - Lambaréné - N'Djolé qui sera étendu jusqu'à France-ville, et un axe Libreville - Moyen-Ogooué - N'Gounié - Nyanga.

Le premier aura l'Ogooué pour principale voie. Les touristes, arrivés à Libreville, séjourneront deux à trois jours dans la capitale (en juin 1977, sa capacité hôtelière sera portée à 2 000 chambres pour 400 seulement un an plus tôt) et ses environs. Ils seront ensuite conduits à Port-Gentil, d'où ils remonteront l'Ogooué jusqu'à Lambaréné (en passant par la Mission Sainte-Anne, l'une des plus anciennes du Gabon, dans un site enchanteur) sur un gros bateau doté de tout le confort. Le voyage durera deux jours et une nuit. Les berges du fleuve seront éclairées à des endroits choisis pour des spectacles « son et lumière ». Dans ces paysages vraiment naturels, les touristes auront l'impression d'être de véritables pionniers. Axe de pénétration naturelle, ce premier tronçon, qu'il est prévu d'exploiter dès 1980, sera prolongé dans un deuxième temps jusqu'à Franceville (le Transgabonais jouera un grand rôle) où la pile atomique d'Oklo fera également l'objet d'un « son et lumière ». Mais ce deuxième parcours qui permettra de découvrir des sites touristiques extraordinaires, c'est le Gabon de l'avenir.

Le second axe Libreville - Nyanga aboutira, en ce qui le concerne, à un tourisme balnéaire à Mayumba. Ces possibilités seront immédiatement exploitables par les « Tours opérateurs » et les agences de voyage. Les autres provinces du pays suivront au fil des années.

Ces deux axes se croiseront à Lambaréné qui deviendra ainsi le point central du tourisme gabonais. Pour assumer ce rôle, la capitale du Moyen-Ogooué subira de grandes transformations. En particulier, un « hôtel-débarcadère » très luxueux sera édifié sur les bords de l'Ogooué où les touristes seront en contact direct avec la population et pourront profiter des spectacles permanents et très pittoresques du grand fleuve.

C'est là le visage du Gabon touristique de demain qui n'aura plus rien à envier, sur le plan de l'organisation et des infrastructures, à des pays aussi avancés en ce domaine que la Tunisie, le Sénégal ou la Côte-d'Ivoire. Mais aujourd'hui, c'est un tourisme encore sauvage que propose ce beau pays d'Afrique équatoriale. Un tourisme solitaire, qui requiert la vocation de l'aventure, exige une âme de pionnier et nécessite le goût de la liberté.

Un privilège de plus en plus rare sur cette terre, où tout est programmé d'avance, qui ne laisse guère plus de place à l'improvisation et à la spontanéité.

Une "porteuse" et sa lourde charge sur le dos.
Chaque jour, elles effectuent ainsi des dizaines de kilométres sur la piste. ▶

GUIDE PRATIQUE

VERS LE GABON

S'il est difficile de se rendre au Gabon par la route (il faut une longue préparation) ou par voie maritime (les ports de la côte de l'Afrique de l'Ouest ne sont plus desservis par les lignes régulières de paquebots), en revanche, les possibilités aériennes sont nombreuses.

Libreville, véritable carrefour aérien, est l'un des aéroports les plus fréquentés d'Afrique noire. La capitale du Gabon est reliée directement aux principales villes européennes, américaines et africaines grâce aux long-courriers des compagnies aériennes U.T.A., Air Afrique, Swissair, Sabena, Ibéria, Panam, Cameroon Airlines et Air Zaïre.

Tous les long-courriers actuellement en service se posent à l'aéroport international Léon-Mba de Libreville, où le Concorde a déjà atterri.

Mais, pour les amoureux des voyages maritimes, précisons que certains cargos acceptent des passagers. Par ailleurs, certaines croisières au départ de Gênes, Le Havre, Hambourg, etc., touchent Libreville. Tous renseignements peuvent être pris, à Libreville, auprès de Transocéan-Gabon (B.P. 416), S.N.C.D.V. (B.P. 77) ou S.N.A.T. (B.P. 72), à Marseille auprès de la compagnie Fabre (10, rue de la République), à Bordeaux et Paris auprès des Chargeurs Réunis (respectivement B.P. 547, et 3, boulevard Malesherbes).

FORMALITES D'ENTREE

1. Passeports et visas

Tout voyageur doit être en possession d'un passeport en cours de validité, d'un visa d'entrée et d'un billet de retour.

Toutefois, il existe un régime particulier pour les ressortissants de certains pays, comme la France, qui autorise ceux-ci à ne pas présenter de visa, et leur permet de circuler librement pendant trois mois au maximum en qualité de touriste.

2. Santé

Sont exigés :

— le certificat de vaccination antivariolique datant de moins de 3 ans (sauf pour les enfants de moins de 6 mois) ;

— le certificat international antiamarile (fièvre jaune) de plus de 10 jours et de moins de 10 ans, exception faite pour les bébés de moins de 6 mois.

Enfin, il est recommandé aux personnes devant séjourner au Gabon de suivre un traitement antipaludéen (nivaquine ou flavoquine) et de le poursuivre durant deux semaines après avoir quitté le territoire.

DOUANE

1. Entrée

La tolérance douanière est de deux appareils photo, une caméra, un poste de radio portatif, un électrophone, un magnétophone, une machine à écrire portative, une paire de jumelles, 200 cigarettes ou cigarillos ou 50 cigares ou 250 grammes de tabac (pas de restriction sur le tabac fabriqué au Cameroun), 2 litres de boisson alcoolisée, 50 grammes de parfum, des cadeaux n'excédant pas la valeur de 5.000 francs C.F.A.

Les objets doivent être déclarés à l'entrée et une facture de plus de six mois doit être produite pour les appareils. Pour les chasseurs important des armes, ils doivent être en possession d'un port d'armes délivré par le ministère de l'Intérieur de Libreville, auprès duquel doit être déposée la demande trois mois au moins avant la date d'arrivée au Gabon.

2. Sortie

Exportation libre de souvenirs de voyage. Toutefois, l'exportation d'animaux vivants, de trophées ou de dépouilles doit s'effectuer selon une réglementation particulière. Informations sur place.

3. Véhicules automobiles

Les véhicules de tourisme importés par des particuliers ayant leur lieu principal de résidence hors du Gabon pour effectuer un voyage d'agrément ou d'affaires, toute opération commerciale étant exclue, sont admis en franchise temporaire (durée maximum : 6 mois, avec faculté de prolongation) avec le carnet de passage en douane.

Les véhicules de tourisme importés par des fonctionnaires et agents étrangers mis à la disposition de la République gabonaise dans le cadre de l'assistance technique, ainsi que par les agents diplomatiques et les agents des organisations internationales, peuvent être également admis au bénéfice du régime d'importation temporaire pour une durée d'une année renouvelable.

Sont exigés :
— le permis de conduire international ou à 3 volets ;
— la carte verte ;
— une assurance internationale ;
— un triptyque ou carnet de passage en douane délivré par l'Automobile-Club du pays d'immatriculation du véhicule ou par un organisme touristique du Gabon.

BANQUES

1. Réglementation monétaire

L'importation de devises étrangères, sous réserve de leur déclaration, est illimitée.

L'exportation de devises nationales est limitée à 25.000 francs C.F.A., à 200.000 francs C.F.A. en devises étrangères ou l'équivalent de la somme importée et déclarée.

1 F.F. = 50 francs C.F.A.

2. Quelques adresses de banques

a) **A Libreville :**
— BIAO (Banque Internationale pour l'Afrique Occidentale) - B.P. 106 - Tél. 72-26-26.
— BPPBG (Banque de Paris et des Pays-Bas Gabon) - B.P. 2253 - Tél. 72-23-26.
— UGB (Union Gabonaise de Banques) - B.P. 315 - Tél. 72-15-14.
— BICIG/BNP (Banque Internationale pour le Commerce et l'Industrie du Gabon) - B.P. 2241 - Tél. 72-26-13.
— BGL (Banque du Gabon et du Luxembourg) - B.P. - Tél. 72-12-48.
— BGD (Banque Gabonaise de Développement) - B.P. 5 - Tél. 72-24-29.

b) **A Port-Gentil :**
— BIAO - B.P. 519.
— BICIG/BNP - B.P. 570.
— UGB - B.P. 566.

QUELQUES RENSEIGNEMENTS PRATIQUES

1. Santé

— Prendre de la nivaquine (ou autre dérivé de la quinine) 2 à 3 jours avant le départ.
— Les médecins et les dentistes sont nombreux à Libreville et les pharmaciens bien approvisionnés.
— Un hôpital général, plusieurs cliniques privées.

2. Les taxis

Ils sont nombreux à Libreville et Port-Gentil. Le prix de la course normale est de 100 francs C.F.A., celui de la course « privée » de 1.000 francs. C'est d'ailleurs le prix (maximum) demandé pour se rendre de l'aéroport au centre-ville. Il existe également des « taxis de brousse » qui stationnent aux gares routières et partent chaque fois qu'ils sont complets.

3. Les voitures sans chauffeur

— HERTZ, B.P. 391, Libreville. Tél. 72-22-82 et 73-20-23.
— EUROPCAR, B.P. 161, Libreville, B.P. 606, Port-Gentil. Tél. 72-13-26 et 72-21-00.
— AUTO-GABON, B.P. 747, Libreville. Tél. 72-24-56.
— DIESEL-GABON, B.P. 205, Libreville. Tél. 72-21-18 et 72-09-43.

4. Lignes aériennes intérieures

La compagnie nationale Air Gabon dessert entièrement le pays (avions Fokker F-28). D'autres compagnies privées, comme Air Service et Air Affaires Gabon, louent de petits avions (Piper, Cessna).

5. Les vêtements

Les vêtements légers sont portés tout au long de l'année. Toutefois, pour les soirées fraîches de la saison sèche (juin à septembre), il est recommandé de se munir d'un lainage. Ne pas oublier de prévoir des lunettes à verres filtrants, un imperméable léger et un parapluie pour la saison des pluies (octobre à mai).

6. Les postes et télécommunications

Le Gabon est relié au monde entier par liaisons postales, téléphoniques, télégraphiques et télex. Les communications avec la France (former le 00 pour obtenir la province et le 00 plus le 1 pour Paris), le Cameroun (former le 0), le Maroc et São-Tomé et Principe sont automatiques, par satellite.

7. La presse

Il existe un quotidien national, « L'Union », qui paraît le matin, six jours sur sept. De création récente, puisque le premier numéro est paru le 30 décembre 1975, « L'Union » était auparavant (depuis le 15 mars 1974) hebdomadaire. Six mois après son lancement, son tirage avait plus que doublé : en juin 1976, il atteignait près de 15.000 exemplaires.

La télévision existe depuis 1966. La couleur est apparue sur les écrans le 30 décembre 1975, date du « décollage » de la presse gabonaise. La télévision et la radio (la « Voix de la Rénovation ») qui pourra émettre dans le monde entier grâce à un émetteur surpuissant) composent la Radiodiffusion-Télévision Gabonaise (R.T.G.), organisme étatique.

8. Le courant

Il est de 220 volts.

LES HOTELS DE TOURISME ET LES RESTAURANTS

Libreville

4 ETOILES

HOTEL « LE DIALOGUE »

Route de l'aéroport, B.P. 3947, télex 5355, tél. 73-20-85.

120 chambres climatisées (250 en juin 1977).

Restaurant gastronomique, buffet-snack, discothèque, piscine, plage privée.

HOTEL OKOUME-PALACE INTER-CONTINENTAL

Route de l'aéroport, B.P. 2254, télex 5271, tél. 73-21-85 et 73-20-23.

154 chambres climatisées (500 en juin 1977), appartements de luxe. Rôtisserie, buffet-snack (spécialités italiennes), discothèque, casino, tennis, piscine.

HOTEL « LE TROPICANA »

En bordure de mer. Plage aménagée (route de l'aéroport).

B.P. 300, tél. 73-25-11.

15 bungalows climatisés, un restaurant en plein air.

HOTEL LOUIS

Quartier Louis, entre l'aéroport et le centre-ville, B.P. 2205, tél. 73-25-69.

15 chambres climatisées, restaurant (pension).

CENTRAL HOTEL

Centre-ville, B.P. 313, tél. 72-20-19.

5 chambres climatisées, restaurant.

MINI-HOTEL DU CAP ESTERIAS

A 30 km de Libreville, B.P. 403, tél. 72-08-84.

8 bungalows de 2 chambres avec sanitaires, climatisés.

2 bungalows de grand standing climatisés.

Auberge (cuisine gabonaise), tennis.

HOTEL « LE GAMBA »

En bordure de mer, face à l'aéroport, B.P. 74, tél. 73-22-67.

En construction : 3 hôtels 4 étoiles, 100 chambres climatisées, pour juin 1977.

Port-Gentil

RELAIS DU GRAND TARPON

Sur le front de mer, B.P. 336, tél. 75-21-03, télex 5264.

32 chambres et 3 appartements climatisés.

Restaurant gastronomique.

LE PROVENÇAL

Centre-ville, B.P. 62, tél. 75-20-69.

10 chambres climatisées, restaurant (cuisine provençale).

HATARI HOTEL

Centre-ville, route de l'Aviation, B.P. 393, tél. 75-21-21.

14 chambres climatisées.

Franceville

HOTEL DU PLATEAU

B.P. 90, tél. 109.

30 chambres climatisées, restaurant, discothèque, piscine.

HOTEL POUBARA

Tél. 297

30 chambres climatisées, 20 suites de luxe, night-club, piscine, tennis.

HOTEL MASUKU

Tél. 286

20 chambres climatisées.

Lambaréné

HOTEL DE L'OGOOUE

B.P. 534, tél. 233.

15 chambres dont 8 climatisées.

Possibilité de logement à l'hôpital Schweitzer et à la Mission catholique.

Mouila

HOTEL DU LAC BLEU

B.P. 34, tél. 213.

20 chambres climatisées, discothèque.
Possibilités de logement au mess militaire (7 chambres), tél. 236.
N'Djole
L'ESCALE
B.P. 64, tél. 230.
7 chambres climatisées.
Oyem
HOTEL « LA CABOSSE »
B.P. 17, tél. 245.
7 chambres climatisées, un restaurant.
Moanda
MESS COMILOG (hôtel-restaurant)
18 chambres, tél. 334.
LES RESTAURANTS
Libreville
La Brasserie de l'Océan, B.P. 799, tél. 72-15-09.
Restaurant gastronomique climatisé.
Le Corsaire, B.P. 36, tél. 73-22-21.
Fruits de mer, restaurant gastronomique climatisé.
Le Komo, B.P. 1130, tél. 72-05-66.
Snack-bar dans le hall du cinéma.
La Paillote, B.P. 885, tél. 73-26-60.
Grillades, brochettes, etc.
La Pergola, B.P. 356, tél. 72-23-51.
Grillades, brochettes, etc.
Le Soleil, aérogare de Libreville, B.P. 1860, tél. 73-22-20.
RESTAURANTS SPECIALISES (de Libreville)
AGIP, B.P. 2231, tél. 72-12-72, spécialités italiennes.
Le Grilladin, spécialités marocaines, tél. 72-19-19.
L'Hacienda, cuisine marocaine, tél. 73-24-24.
La Tonkinoise, spécialités vietnamiennes, tél. 73-20-94.
Le Pavillon de Jade, cuisine chinoise, tél. 73-25-12.
SPECIALITES GABONAISES
Il existe peu de restaurants gabonais spécialisés dans la cuisine locale.
Mais à Libreville, au Sporting (près du stade), à l'Aquarium (près de l'Ambassade de France, sur le bord de mer) et à L'Assiette Africaine (quartier N'Kembo), on peut déguster de nombreuses spécialités locales.
Parmi celles-ci, le « poulet au niembwé », le plat national, le poulet aux arachides, les crabes farcis à la gabonaise, la soupe au chocolat ou à la tortue, les feuilles de manioc, les bouclettes de bananes ou de tarots et les gâteaux d'arachides ou de concombres.
Et pour les véritables amateurs de cuisine exotique, le menu propose aussi du singe, de l'antilope, du hérisson, de la tortue, voire même du boa...

DISTRACTIONS - SPORTS

LES DISTRACTIONS
Cinéma : il existe plusieurs salles de cinéma au Gabon (3 à Libreville, 2 à Port-Gentil, 1 à Franceville, 1 à Oyem). Le « Komo » de Libreville et l'« Ogooué » de Port-Gentil présentent des programmes variés (de 2 à 4 films par jour) et récents.
Night-clubs : à Libreville, de nombreuses discothèques et des boîtes de nuit animées par des orchestres locaux.
Un casino (à l'hôtel Inter-Continental).
Centres culturels (français et américain).
LES SPORTS
Tennis, golf, natation, équitation (Mindoublé-Club).
Il est également possible de pratiquer l'aviation et le parachutisme, et, naturellement, à titre individuel, la voile et le ski nautique.
Les sports les plus populaires au Gabon sont le football et la boxe.
LA PECHE
La pêche est l'un des principaux attraits touristiques du Gabon. Toutefois, l'absence de clubs de pêche requiert d'apporter son propre matériel. Mais on peut aussi en acheter sur place. Pour pratiquer la pêche sportive, il faudra lier connaissance avec des pêcheurs de la place.
LA CHASSE
La chasse est ouverte au Gabon toute l'année, dans les domaines de chasse

gérés par l'Office National du Tourisme, le port d'armes étant naturellement prohibé dans les parcs nationaux et les réserves de faune.

La chasse est réglementée et les touristes doivent se soumettre aux formalités suivantes :

— Permis de chasse instantané (coût : 5.000 F C.F.A.). Valable 4 jours, il donne droit à l'abattage d'un éléphant, d'une antilope et d'un buffle ainsi qu'à celui des animaux non protégés. Il est délivré par le ministère des Eaux et Forêts.

— Permis ordinaire (coût : 2.500 F C.F.A.). Délivré par le gouverneur de la région du demandeur, il est valable un an et donne droit à l'abattage des animaux non protégés.

— Permis de grande chasse (coût : 10.000 F C.F.A.). Valable 3 mois, il donne droit à l'abattage d'animaux partiellement protégés. Il est délivré par le ministère des Eaux et Forêts. (Le chasseur est libre de demander le permis de son choix.)

— Permis de détention d'armes.

— Permis d'importation d'armes, délivré par le ministère de l'Intérieur (adresser la demande 3 mois au moins avant l'arrivée au Gabon).

Le gibier abattu est soumis à des taxes, la plus élevée étant celle de l'éléphant : 10.000 F C.F.A.

Le transport aux domaines de chasse peut s'effectuer en avions-taxis. Les tarifs de location (aller et retour) sont les suivants :

Domaine de Setté-Cama : Cessna 206 (4 personnes) : 340.000 F C.F.A. - Cessna 182 (2 personnes) : 300.000 F C.F.A.

Domaine d'Iguéla : Cessna 206 : 280.000 F C.F.A. - Cessna 182 : 250.000 F C.F.A.

Pour les personnes partant en expédition de chasse, il est conseillé de se munir d'une trousse d'urgence contenant, outre du sérum antitétanique, un sérum antivenimeux.

L'ARTISANAT

Comme on l'a vu, chaque région du Gabon est très riche en œuvres artisanales de toutes sortes : masques, statuettes, instruments de musique, etc. Toutefois, la principale originalité du pays en ce domaine réside dans le travail de sculpture de la pierre de Mbigou. Entre Libreville et l'aéroport (que l'on appelle familièrement « l'aviation »), se trouve un village très typique réservé aux sculpteurs de Mbigou. Il ne faut pas manquer de s'y rendre. Signalons, pourvu que l'on s'y prenne à l'avance, la possibilité de commander aux sculpteurs des œuvres particulières. Le prix est relativement modique. Attention au transport : si la pierre de Mbigou est très lourde, elle est aussi très friable !

Soirée Saint-Exupéry, lycée d'État de l'estuaire.

ADRESSES UTILES A LIBREVILLE

TOURISME
Ministère du Tourisme, chargé des parcs nationaux.
B.P. 403, tél. 72-16-09 et 72-20-09.
Direction Générale du Tourisme, et Office National du Tourisme.
B.P. 403, tél. 72-21-82, 72-15-84, 72-18-32.

AMBASSADES OU CONSULATS
Ambassade d'Allemagne fédérale, B.P. 299, tél. 72-27-90.
Consulat Royal de Belgique (Luxembourg), B.P. 167, tél. 72-09-06.
Ambassade d'Espagne, B.P. 1157, tél. 72-12-64.
Ambassade de France, B.P. 2125, tél. 72-20-31.
Consulat de Grande-Bretagne, B.P. 224, tél. 72-24-63.
Ambassade d'Italie, B.P. 2251, tél. 72-12-71 et 72-10-93.
Ambassade des U.S.A., B.P. 185, tél. 72-20-03, 72-13-37 et 72-13-48.
Agence consulaire de Suisse, B.P. 386, tél. 72-15-16.

PRESTATAIRES DU TOURISME

Libreville
Sata Voyages, B.P. 2258, tél. 72-16-07.
S.N.C.D.V., B.P. 2131, tél. 72-26-55, 72-26-36 et 72-09-12.
Tourisme Voyages en Afrique (T.V.A.), B.P. 161, tél. 72-21-00 et 72-13-26.

Port-Gentil
S.N.C.D.V., B.P. 553, tél. 75-24-75.
Tourisme Voyages en Afrique (T.V.A.), B.P. 606, tél. 75-25-55.

QUELQUES COMPAGNIES AERIENNES

Compagnies internationales
AIR AFRIQUE, B.P. 311, tél. 72-23-40.
IBERIA (représentation T.V.A.), B.P. 606, tél. 75-25-55.
PAN AM, B.P. 2254, tél. 73-20-23.
SABENA, B.P. 4220.
SWISSAIR, B.P. 1125, tél. 72-16-71.
U.T.A., B.P. 2091, tél. 72-17-07.

Compagnies intérieures
Air Affaires Gabon (affrètement, location), B.P. 3962, tél. 73-25-13 et 73-20-10.
Air Gabon, B.P. 2206, tél. 72-23-21.
Air Service (affrètement, location), B.P. 2232, tél. 73-24-07.

ORGANISATIONS INTERNATIONALES

O.N.U., B.P. 1183, tél. 72-26-70, Libreville.
F.E.D., B.P. 321, tél. 73-22-50, Libreville.
Mission Permanente Française d'Aide et de Coopération, B.P. 2105, tél. 72-23-37, Libreville.

ADRESSES UTILES EN FRANCE

Ambassade de la République Gabonaise :
26 bis, avenue Raphaël, 75016 Paris, tél. 224-79-60 à 64.
Consulat Général de la République Gabonaise :
26 bis, avenue Raphaël, 75016 Paris, tél. 224-79-60 à 64.
Consulat honoraire du Gabon à Lyon :
285, cours La Fayette, Lyon (6e), tél. 24-63-62 et 24-32-75 (78).
O.D.T.A. (Office pour le Développement du Tourisme africain) :
6, rue Mesnil, 75016 Paris, tél. 553-16-95.
A.C.C.T. (Agence de Coopération Culturelle et Technique) :
19, avenue de Messine, 75008 Paris, tél. 227-90-58.
O.T.O.M. (Office du Tourisme d'Outre-Mer).

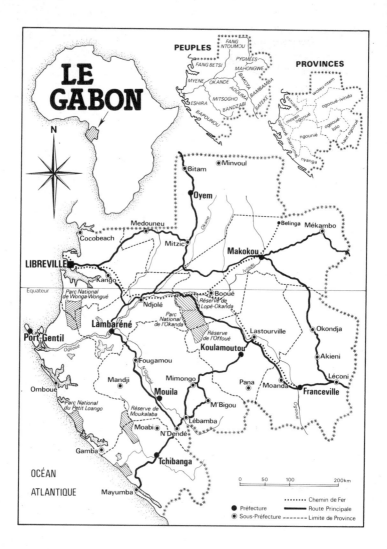

Achevé d'imprimer sur les presses de Bernard Neyrolles - Imprimerie Lescaret, à Paris,
le 25 novembre 1976.

Dépôt légal : 4e trimestre 1976.

Numéro d'éditeur : 470.

ISBN 2-263-00075-5